中华人民共和国建设部

职业技能岗位标准
职业技能岗位鉴定规范
职业技能岗位鉴定试题库

推土机（铲运机）驾驶员

U0376448

中国建筑工业出版社

中华人民共和国建设部
职业技能岗位标准
职业技能岗位鉴定规范
职业技能岗位鉴定试题库

推土机(铲运机)驾驶员

*

中国建筑工业出版社出版、发行(北京西郊百万庄)

各地新华书店、建筑书店经销

北京云浩印刷有限责任公司印刷

*

开本:787×1092毫米 1/32 印张:5½ 字数:124千字

2002年9月第一版 2012年10月第二次印刷

定价:**12.00**元

统一书号:15112·10538

本社网址:http://www.china-abp.com.cn

网上书店:http://www.china-building.com.cn

前　　言

　　为了促进建设事业的发展，加强建设部系统各行业的劳动管理，广泛开展职业技能岗位培训和鉴定工作，提高职工队伍素质，我们根据建设部印发的《建设行业职业技能标准》、《建设行业职业技能岗位鉴定规范》及各地工人学习、培训、鉴定工作的实际需要，组织编辑了《职业技能岗位标准、职业技能岗位鉴定规范及职业技能岗位鉴定试题库》系列丛书，按每个职业印刷成单行册。

　　每册的内容为职业技能岗位标准、职业技能岗位鉴定规范（包括职业技能鉴定规范、道德鉴定规范和工作业绩鉴定规范）及职业技能岗位鉴定试题库（包括理论部分和实操部分），全部内容按初、中、高设置。

　　各地区在使用过程中，严禁翻印。发现不妥之处，请提出宝贵意见。

建设部职业技能岗位鉴定指导委员会

2001 年

3

目 录

关于颁发木工等 40 个
《职业技能标准》的通知

各省、自治区、直辖市建委（建设厅）：

根据近年来新技术、新工艺、新材料、新设备以及科学技术等方面情况的变化，按照《中华人民共和国工种分类目录》中所列的建设行业工种范围，我部组织对木工等 40 个工种的工人技术等级标准进行了修订，并根据目前的实际情况，更名为"职业技能标准"本标准业经审定，现颁发试行。试行过程中的有关情况、问题和建议，请函告建设部人事教育劳动司。

原城乡建设环境保护部 1988 年和建设部 1989 年颁发的《土木建筑工人技术等级标准》JGJ42—88、《安装工人技术等级标准》JGJ43—88、《机械施工工人技术等级标准》JGJ44—88、《建筑制品工人技术等级标准》JGJ45—88、《市政工程施工、养护及污水处理工人技术等级标准》CJJ18—88 及 CJJ26—89 中《电梯安装维修工工人技术等级标准》自新标准发布 之日起停止使用。

中华人民共和国建设部
1996 年 2 月 17 日

关于颁发起重机驾驶员等 9 个工种的《职业技能岗位鉴定规范》和《职业技能鉴定试题库》的通知

建人教〔2002〕118 号

为进一步提高建筑业职工队伍素质，满足职业技能岗位培训与鉴定工作需要，根据《职业技能岗位标准》，我部组织编制了起重机驾驶员、挖掘机驾驶员、塔式起重机驾驶员、推土（铲运）机驾驶员、桩工、中小型建筑机械操作工、工程机械修理工、筑炉工、工程电气设备安装调试工 9 个工种的《职业技能岗位鉴定规范》和《职业技能鉴定试题库》。经审定，现予颁发试行。试行中有何问题和建议，请及时函告建设部人事教育司。

中华人民共和国建设部
2002 年 5 月 20 日

第一部分
推土机（铲运机）驾驶员职业技能岗位标准

1.专业名称：机械施工

2.职业名称：推土机（铲运机）驾驶员

3.职业定义：操纵推土、铲运机，进行土方开挖、铲运、平整、清障和集散砂石材料。

4.适用范围：工程机械施工。

5.技能等级：设初、中、高三级。

6.学徒期：两年。其中培训期一年，见习期一年。

一、初级推土机（铲运机）驾驶员

知识要求（应知）

1.机械制图的基本知识，看懂一般机械零件图、土方施工图。

2.常用法定计量单位及其换算，随机常用工具、量具使用、保养的方法。

3.常用燃料油、润滑油、液压油料和钢丝绳的基本知识。

4.电工学的一般知识。

5.内燃机的基本构造和工作原理。

6.熟悉施工标志，能判断工作面地质、地形条件对安全作业的影响。

7．所驾驶机械的一般构造、性能和工作原理。

8．所驾驶机械的操作方法、安全技术操作规程和冬季施工注意事项。

9．所驾驶机械的转移，特殊条件下的操作方法。

10．所驾驶机械的各级保养规程，一般故障的产生原因和排除方法。

操作要求（应会）

1．正确使用随机常用工具、量具。

2．独立、安全驾驶本机械进行施工作业。

3．在各种情况下，牵引配套附属机械进行土方施工作业。

4．所驾驶机械的一般调整、紧固和简单故障的排除。

5．所驾驶机械工作装置的更换、调整和钢丝绳的鉴别、更换、穿绕和绳端固定连接。

6．所驾驶机械的安全转移。

7．所驾驶机械的例行保养和一、二级保养工作。

8．正确填写机械履历书和规定的报表。

二、中级推土机（铲运机）驾驶员

知识要求（应知）

1．机械制图的基本知识。看懂所驾驶机械总装配图、电气线路图和液压传动原理图。

2．常用电气设备的构造和工作原理。

3．所驾驶机械液压传动系统的构造和工作原理。

4．机械基础知识。

5．内燃机的构造、性能、工作原理和故障排除的方法。

6．土力学的基本知识，土方量的测量与计算方法。

7．本职业常用机械的型号、规格、构造和主要技术数据。

8．牵引力与机械传动、发动机性能的关系。

9．所驾驶机械的大、中修理规范和出厂验收技术标准。

10．所驾驶机械的机组和班组管理知识。

操作要求（应会）

1．绘制一般机械零件图。

2．土方工程量的计算。

3．熟练驾驶推土、铲运机进行土方施工作业。

4．在复杂地形和恶劣气候条件下，带领班组进行土方施工安全作业。

5．所驾驶机械的故障排除和三级保养工作。

6．根据机械运转情况，提出继续使用或修理的意见。

7．所驾驶机械大、中修出厂试车和验收。

8．正确分析、处理本机械施工中发生的事故，并提出防范措施。

9．参与编制平行、交叉作业的施工方案，并解决施工中有关的技术问题。

三、高级推土机（铲运机）驾驶员

知识要求（应知）

1．看懂复杂的土方施工图和机械构造图。

2．各类推土、铲运机的构造、工作原理、性能和主要技术数据。

3．机械零件设计的一般知识。

4．液压传动系统的构造、工作原理和调整、保养、检修知识。

5．机械设备的技术管理知识。

6．了解土方机械的发展动态和先进施工方法。

操作要求（应会）

1．参与编制大型土方工程施工组织设计和机械大修的备料计划。

2．解决本职业施工中复杂的技术问题。

3．本机械各种故障的排除。

4．本职业新型、引进机械的试车、验收和报废设备的技术鉴定。

5．分析重大事故产生原因，正确判断事故隐患，并采取相应的防范措施。

6．对初、中级工示范操作，传授技能。

第二部分
推土机（铲运机）驾驶员
职业技能岗位鉴定规范

第一章 说 明

一、鉴定要求

1. 鉴定试题符合本职业岗位鉴定规范内容。

2. 职业技能鉴定分为理论考试和实际操作考核两部分。

3. 理论部分试题分为：是非题、选择题、计算题和简答题。

4. 考试时间：原则上理论考试时间为 2 小时，实际操作考核为 4~6 小时，两项考试均实行百分制。

5. 理论考试和实际操作考核成绩均达到 60 分以上为技能鉴定合格。技能鉴定与道德鉴定、业绩鉴定均合格视为岗位鉴定合格。

二、申报条件

1. 申请参加初级水平鉴定的人员须有初中毕业证书，经过相应的培训及从事该岗位工作两年以上。

2. 申请参加中级水平鉴定的人员须有初级技术等级证书和高中毕业证书，并在初级岗位上工作 3 年以上。

3. 申请参加高级水平鉴定的人员须有中级技术等级证书和高中毕业证书，并在中级岗位上工作 5 年以上。

三、考评员构成及要求

1. 理论考评员原则按每 15 名配 1 名（15：1）；
2. 操作考证员原则按每 5 名考生配 1 名（5：1）；
3. 考评员具有中级工以上或技术员以上职称；
4. 掌握本工种职业技能鉴定规范。

四、工具、设备要求

1. 设备：推土机、铲运机。
2. 起重机具：钢丝绳、吊索、卸扣、绳卡、千斤顶、滑车、滑车组。
3. 测量工具：钢尺、钢卷尺、卡钳、皮尺、游标卡尺、千分尺、内径百分表、塞尺。
4. 常用工具：钢丝钳、鲤鱼钳、尖嘴钳、开口扳手、梅花扳手、套筒扳手、活络扳手、内六角扳手、一字螺丝刀、十字螺丝刀、奶子锤头、手摇泵、黄油枪、抽油器。
5. 专用工具：随机专用工具
推土机（铲运机）工作装置，运输机械。

第二章 岗位鉴定规范

第一节 道德鉴定规范

一、本标准适用于从事机械施工的所有初级工、中级工、高级工的道德鉴定。

二、道德鉴定在用人单位广泛开展道德教育的基础上，采取笔试或用人单位按实际表现鉴定的形式进行。

三、道德鉴定的内容主要包括，遵守宪法、法律、法规、国家的各项政策和各项技术安全操作规程及本单位的规章制度，树立良好的职业道德和敬业精神以及刻苦钻研技术的精神。

四、道德鉴定由用人单位负责，职业技能岗位鉴定站审核。考核结果分为优、良、合格、不合格。对笔试考核的，60 分以下的为不合格，60～79 分为合格，80～89 分为良，90 分以上为优。

第二节 业绩鉴定规范

一、本标准适用于从事机械施工的所有初级工、中级工、高级工的业绩鉴定。

二、业绩鉴定在加强用人单位日常管理和工作考核的基础上，针对所完成的工作任务，采取定量为主、定性为辅的形式进行。

三、业绩鉴定的内容主要包括，完成生产任务的数量和质量，解决生产工作中技术业务问题的成果，传授技术、经验的成绩以及安全生产的情况。

四、业绩鉴定由用人单位负责，职业技能岗位鉴定站审核，考核结果分为优、良、合格、不合格。对定量考核的，60 分以下的为不合格，60～79 分为合格，80～89 分为良，90 分以上为优。

第三节　技能鉴定规范

一、初级工

（一）技能鉴定规范的内容

项目	鉴定范围	鉴定内容	鉴定比重	备注
知识要求			100%	
基本知识 30%	1. 识图知识 8%	（1）图样的初步知识 （2）正投影的基本原理 （3）简单零件剖视、剖面的表达方法 （4）读零件图的方法与步骤	2% 2% 2% 2%	了解 掌握 了解 掌握
	2. 电工知识 7%	（1）简单电气原理图 （2）直流电与交流电的基本概念 （3）电阻的串、并联与欧姆定律 （4）安全用电常识	1% 2% 2% 2%	了解 掌握 掌握 熟练
	3. 机械传动和液压传动知识 10%	（1）常用法定计量单位及公英制换算 （2）推土、铲运机的分类和主要参数 （3）机械传动的基本知识 （4）液压传动的基本知识	2% 3% 3% 2%	掌握 掌握 掌握 了解
	4. 土壤知识 5%	（1）土壤的基本概念 （2）直接用土方机械进行施工的土壤类别	2% 3%	了解 掌握

项目	鉴定范围	鉴 定 内 容	鉴定比重	备注
专业知识 60%	1.电气 12%	(1) 本机械用电系统的线路图	4%	掌握
		(2) 蓄电池的规格	4%	掌握
		(3) 安全用电	4%	掌握
	2.机械 30%	(1) 内燃机的基本构造和工作原理	6%	掌握
		(2) 所驾驶机械的一般构造、性能和工作原理	6%	掌握
		(3) 推土、铲运机的安全技术操作规程	5%	掌握
		(4) 日常保养和一、二级保养的内容	5%	掌握
		(5) 一般故障产生的原因和排除方法	5%	了解
		(6) 所驾驶机械转移的基本常识	3%	掌握
	3.油料和钢丝绳 15%	(1) 常用燃油、润滑油、液压油的规格和选用	8%	掌握
		(2) 钢丝绳的规格和报废标准	4%	了解
		(3) 绳夹安装的基本知识	3%	掌握
相关知识 10%	1.文明施工 5%	(1) 对用户的服务态度	2%	掌握
		(2) 本岗位文明施工的方法	3%	掌握
	2.安全 5%	(1) 安全施工知识	1%	熟练
		(2) 自我保护意识	2%	掌握
		(3) 相应的法律和法规	2%	了解
操作要求			**100%**	
操作技能 70%	1.机械操作 30%	(1) 机械发动前的准备工作	5%	熟练
		(2) 发动机的启动和机械试运转	5%	熟练
		(3) 工作装置的更换、调整	5%	掌握
		(4) 钢丝绳的穿绕及更换安装	5%	掌握
		(5) 独立驾驶本机械进行安全施工作业	5%	掌握
		(6) 所驾机械的安全转移	5%	掌握

项目	鉴定范围	鉴 定 内 容	鉴定比重	备注
操作技能70%	2. 机械保养15%	(1) 所驾机械的例行保养	5%	掌握
		(2) 所驾机械的一、二级保养	5%	掌握
		(3) 所驾机械的一般调整	5%	掌握
	3. 故障排除15%	(1) 发动机常见故障的排除	6%	熟练
		(2) 机械常见故障的排除	6%	掌握
		(3) 电气一般故障的排除	3%	掌握
	4. 验收及报表10%	(1) 机械修理保养后的验收	3%	掌握
		(2) 正确填写机械履历表	4%	熟练
		(3) 规定的报表	3%	掌握
工具设备的使用与维护15%	1. 基本工具5%	(1) 随机专用工具的使用与维护	2%	掌握
		(2) 常用工具的使用和维护	2%	掌握
		(3) 清洁工具的使用和维护	1%	掌握
	2. 检验工具5%	(1) 量尺（皮尺、塞尺）的应用	2%	掌握
		(2) 千分尺、游标卡尺的应用	1%	了解
		(3) 压力表、温度表、电流表、燃油表的使用	2%	掌握
	3. 起重工具5%	(1) 千斤顶的使用和维护	3%	掌握
		(2) 卸甲的使用和维护	2%	了解
安全及其他15%	1. 文明生产8%	(1) 设备、材料、工具的使用要合理	3%	掌握
		(2) 工完场清，对用户的态度良好	3%	掌握
		(3) 为后续作业创造条件要合理	2%	掌握
	2. 安全 7%	(1) 机械停置要正确	3%	熟练
		(2) 及时发现安全隐患	2%	了解
		(3) 杜绝安全事故	2%	了解

（二）技能鉴定试题范例

理论部分（共 100 分）

1. 是非题（对的打"√"，错的打"×"，每题 1 分，

共 25 分）

（1）推土、铲运机主离合器接合时，应缓缓拉动操纵杆，当推土机开始行走时，再将操纵杆向后拉至最后位置，使主离合器完全接合。　　　　　　　　　　　（　）

（2）推土、铲运机在工作时，脚可以搁在制动踏板上。
　　　　　　　　　　　　　　　　　　　　　　　（　）

（3）推土铲运机发动机启动困难时，可以用拖带的办法来发动柴油机。　　　　　　　　　　　　　　（　）

（4）机械在行驶途中，铲运斗内、推刀架上、羊足碾铲运的拖把上禁止站人。　　　　　　　　　　　（　）

（5）履带推土机横过铁路时可以转弯。　　　　（　）

（6）机械在换油时，放油应在机械工作刚完毕趁机油尚热时进行。　　　　　　　　　　　　　　　　（　）

（7）推土、铲运机离合器处于半接合状态，不仅降低工作效率，还将造成离合器早期磨损或烧坏。　　（　）

（8）推土、铲运机换档时，应使机械完全停止后，才可移动变速杆到所需位置。　　　　　　　　　　（　）

（9）推土、铲运机转弯时，可以先踩制动踏板，再拉分离合器操作杆。　　　　　　　　　　　　　　（　）

（10）推土、铲动机在坡度上停车，应将制动踏板踏下，并用锁紧手柄锁住。　　　　　　　　　　　（　）

（11）推土、铲运机不可以用作碾碎石块的工作。（　）

（12）用于加工零件的图样是立体图。　　　　（　）

（13）封闭尺寸链就是头尾相接绕成一整圈的一组尺寸。
　　　　　　　　　　　　　　　　　　　　　　　（　）

（14）电流在物体中流动时遇到的阻力称为电阻。（　）

（15）红旗-100、东方红推土机要用熄火装置来熄灭启

动机。					（　）

（16）发动机发动时曲轴转速应大于启动转速方能启动发动机。					（　）

（17）在保养清洁空气滤清器用压缩空气吹时，应从滤芯外部向内部吹。					（　）

（18）柴油发动机空气滤清器堵塞，则进气不足，排气冒白烟。					（　）

（19）当发动机冷却水箱烧开时，不可以用手直接打开水箱盖。					（　）

（20）发动机气门间隙太小，会发出清脆的响声。（　）

（21）局部视图是完整的基本视图。					（　）

（22）推土、铲运机钢丝绳安装夹时钢丝绳应压扁 $\frac{1}{3}\sim$ $\frac{1}{4}$ 钢丝绳直径为正确。					（　）

（23）推土机根据作业条件的需要、推土刀板可调节成斜铲。					（　）

（24）推土、铲运机在陡坡上可以横向行驶。	（　）

（25）千分尺可以测量工件的内径、外径和厚度。（　）

2．选择题（把正确答案的序号填在每题横线上，每题 1 分，共 25 分）

（1）上海-120 型推土机调整主离合器时反映在拉动操作杆上的力为在____范围内，并感到有越过明显的死点。

　　A．10±2kg　　　　　B．14±2kg

　　C．20±2kg　　　　　D．30±2kg

（2）用直流电动机启动柴油机时，电动机每次启动时间不得超过____s。

　　A．5　　　　B．15　　　　C．25　　　　D．30

（3）用推土机推围墙或旧房墙时，其高度一般不超过＿＿m。

A. 1　　　　B. 2.5　　　　C. 4　　　　D. 5

（4）图纸上标明比例1：50，现量得图纸上长度为10mm则实物长度为＿＿＿mm。

A. 5　　　　B. 50　　　　C. 100　　　　D. 500

（5）红旗-100型汽油启动机，其连续工作时间不得超过＿＿＿min。

A. 5　　　　B. 15　　　　C. 25　　　　D. 30

（6）红旗-100推土机调整主离合器时，反映在操纵杆上的力应在＿＿＿kg范围内，属正常。

A. 5～10　　　　　　　　B. 15～25

C. 20～30　　　　　　　　D. 25～35

（7）发动机润滑系统机油压力下降这是因为＿＿＿。

A. 润滑油粘度太稠　　　B. 润滑油粘度太稀

C. 发动机温度太低　　　D. 发动机转速太高

（8）保养空气滤清器用压缩空气从内往外吹气，其压力不得超过＿＿＿kg/cm²。

A. 1　　　　B. 2.5　　　　C. 4　　　　D. 5

（9）上海120-推土机燃油滤清器外壳底面有一个放油塞每隔＿＿＿h打开此塞以排除油内水分和杂质沉淀物。

A. 50　　　　B. 100　　　　C. 150　　　　D. 200

（10）发动机曲柄机构是＿＿＿。

A. 旋转机构

B. 消耗功率机构

C. 往复运动机构

D. 发动机实现工作循环完成能量转换的主要机构

（11）上海-120型推土机接地压力____kg/cm²。

A. 0.64　　B. 0.8　　　　C. 1.2　　　　D. 1.5

（12）引导轮座导板侧间隙的调整是____。

A. 为保证引导轮中心线与轨距一致

B. 为引导轮转动正常

C. 为承受冲击

D. 为使推土机不跑偏

（13）推土机离合器处于半接合状态不仅降低工作效益，还将造成____。

A. 离合器早期磨损或烧坏　　　　B. 损坏变速箱齿轮

C. 损坏中央传动伞齿轮　　　　　D. 损坏发动机机件

（14）东方红-60型推土机发动机4125型工作顺序为____。

A. 1－3－4－2　　　　　B. 1－4－3－2

C. 1－2－4－3　　　　　D. 1－3－2－4

（15）推土机不得推____。

A. 砂子　　　　　　　　B. 石子

C. 煤块　　　　　　　　D. 石灰、烟灰等粉尘物料

（16）发动机连杆组是____。

A. 驱动活塞作往复运动

B. 实现往复运动和旋转运动的转换，并传递动力

C. 密封气缸，防止机油窜入燃烧室

D. 承受燃气压力

（17）一个蓄电池一般由3个或6个单格电池组成，每个单格电池的额定电压为____V。

A. 2　　　　B. 4　　　　C. 6　　　　　D. 12

（18）东方红推土机启动机启动时____。

A. 将启动绳绕入飞轮槽内 3 圈以上

B. 可以单手连续拉动

C. 人必须站在履带板上拉动启动绳

D. 禁止将启动拉绳绕在手腕上启动

（19）柴油滤清器的功用是____。

A. 冷却柴油　　　　　　 B. 预热柴油

C. 清除杂质、排除水分　 D. 增加燃油压力

（20）柴油发动机可燃混合气体的燃烧是由____点燃的。

A. 火花　 B. 火焰　　 C. 电火花　 D. 自燃

（21）推土、铲运机在发动柴油机时____。

A. 应将前进操纵杆放在空档位置

B. 应将主离合器放在分离位置变速杆应放在空档

C. 只要把变速杆放在空档位置

D. 发动机先启动后再加水

（22）检查发动机油底壳机油平面应在____检查。

A. 发动机启动后　　 B. 每班工作结束后

C. 在工作中　　　　 D. 将推土机停在平坦地方

（23）推土、铲运机____。

A. 在上坡和下坡时可以换档

B. 在下坡时可以空档滑行

C. 在上坡时可以挂三档四档

D. 在坡道上禁止用制动踏板进行急刹车转向

（24）上海-120 推土机发动机正常水温不得高于____℃。

A. 70　　 B. 80　　 C. 90　　 D. 100

（25）柴油机发生飞车时应采取____。

A. 减少供油量　　 B. 增加负荷

C. 立即停车　　　　　D. 分开离合器

3．计算题（每题 10 分，共 20 分）

（1）用截面积 $S = 0.05\text{mm}^2$ 的锰铜丝绕制阻值为 15Ω 的线绕电阻，在常温条件下锰铜丝的电阻率 $\rho = 0.43 \times 10^{-6}$ $\Omega\text{mm}^2/\text{m}$ 试求需用多长的锰铜丝。

（2）有一正方体铸铁件，边长为 1.6m、高为 0.2m、中间钻一直径为 0.3m 的一个圆孔。试求：该铸铁件重多少？（注：铸铁件的密度为 $7.5\text{t}/\text{m}^3$）

4．简答题（每题 5 分，共 30 分）

（1）上海-120 推土机，推土机操纵杆浮动位置起什么作用？

（2）推土机制动器的作用是什么？

（3）液压推土工作装置有什么优点？

（4）推土机跑偏的原因及排除方法？

（5）转向操纵杆分离时，推土机不转弯的原因及排除方法？

（6）风扇皮带太紧太松有什么危害？

实际操作部分

题目：轻质土壤场地的平整（运土距离在 100m 以内）

考核项目及评分标准

序号	考核项目	评 分 标 准	满分	检测点					得分
				1	2	3	4	5	
1	机械选择	运土距离在 100m 以内用推土机平整	5						
2	操作顺序	操作顺序正确： 先平整高差较大的地方配合测量按标高先整平一小块从该小块开始逐刀顺序推平	20						

序号	考核项目	评 分 标 准	满分	检 测 点					得分
				1	2	3	4	5	
3	场地平整度	场地平整度符合施工技术要求水平标高允许±15cm	30						
4	场外区域	场外无土壤堆积、不被破坏	10						
5	机械停置	机械停置点选择正确	5						
6	文明施工	不浪费油材料,工完场清、机清	10						
7	安全生产	重大事故不合格,小事故扣分	10						
8	工 效	根据项目,按劳动定额进行低于90%本项无分在90%～100%之间酌情扣分超过定额的酌情加分	10						

注:水平标高检查点的要求

项次	项 目	水平标高检测点
1	场地平整	$10×10～20×20m^2$ 取一点,总数不小于 10 点
2	基 坑	$20m^2$ 取 5 点,每个基坑不少于 2 点
3	基槽和管沟	$20m$ 取一点,总数不少于 2 点
4	路 堤	$20m$ 取一组(2 点)总数不少于 5 组
5	其他挖填方	$30～50m^2$ 取一点,总数不少于 5 点

二、中级工

(一)技能鉴定规范的内容

项目	鉴定范围	鉴 定 内 容	鉴定比重	备注
知识要求			**100%**	
	1. 识图知识 6%	(1) 投影的基本知识	2%	熟练
		(2) 表面粗糙度与公差配合	2%	掌握
		(3) 测绘零件图的要求与步骤	1%	了解
		(4) 装配图的内容和表达方法	1%	了解
	2. 电工知识 5%	(1) 一般电气原理图	1%	了解
		(2) 一般直流电路的分析与计算	2%	熟练
		(3) 单相交流电路的基本形式及其电流、电压的相互关系	1%	掌握
		(4) 三相交流电源、负载的联结方法及其计算	1%	掌握
基本知识 25%	3. 力学知识 2%	(1) 力学的基本知识	1%	掌握
		(2) 推土、铲运机的牵引	1%	掌握
	4. 土方量 4%	(1) 土方量的测量	2%	熟练
		(2) 土方量的计算	2%	熟练
	5. 机械与液压一般知识 8%	(1) 直齿圆柱齿轮的正确啮合条件及计算	2%	掌握
		(2) 轮系的分类及定轴轮系的计算	2%	熟练
		(3) 常用金属材料、非金属材料及钢的热处理基本知识	1%	了解
		(4) 液压传动的一般知识	2%	掌握
		(5) 所驾机械液压系统构造、工作原理及其应用	1%	了解
专业知识 60%	1. 电气 10%	(1) 蓄电池的基本知识及保养	5%	掌握
		(2) 所驾驶机械电气的一般知识及电气故障的判定	5%	掌握

18

项目	鉴定范围	鉴 定 内 容	鉴定比重	备注
专业知识 60%	2. 机械 40%	(1) 发动机故障的判定和排除方法	10%	熟练
		(2) 推土、铲运机故障的判定和排除方法	10%	熟练
		(3) 了解不同类型推土、铲运机的性能和工作原理	10%	掌握
		(4) 了解所驾驶机械的大、中修理规范和出厂验收标准	4%	了解
		(5) 所驾驶机械的三级保养工作	6%	掌握
	3. 液压传动 10%	(1) 所驾驶机械液压传动系统的构造和工作原理	5%	掌握
		(2) 液压油的判定和更换	5%	掌握
相关知识 15%	1. 班组管理 3%	(1) 班组管理的基本知识	2%	掌握
		(2) "三定"制度	1%	熟练
	2. 安全生产 4%	(1) 安全制度和安全生产责任制	2%	掌握
		(2) 安全事故案例分析	2%	掌握
	3. 机械设备 8%	转移场地所用的运输机械	8%	熟练
操作要求			100%	
操作技能 75%	1. 机械操作 25%	(1) 根据土方施工方案,选用推土、铲运机及工作装置	8%	熟练
		(2) 根据施工作业条件,熟练驾驶不同类型的推土、铲运机	8%	熟练
		(3) 机械运转情况的鉴定	5%	掌握
		(4) 参与机械大、中修出厂试车和验收	4%	掌握
	2. 施工技术 15%	(1) 参与土方施工方案的编制	5%	掌握
		(2) 解决土方施工中的技术问题	5%	掌握
		(3) 多台机械联合作业的施工组织	5%	掌握

项目	鉴定范围	鉴 定 内 容	鉴定比重	备注
操作技能75%	3.保养调整和排故 35%	（1）所驾驶机械的三级保养工作	7%	熟练
		（2）发动机故障的排除，气门间隙和喷油时间的调整	7%	熟练
		（3）机械故障的排除，主离合器转向离合器及制动器的调整	7%	熟练
		（4）液压系统故障的判定和排除方法	7%	掌握
		（5）所驾驶机械一般易损件的更换	7%	掌握
工具设备使用与维护10%	1.基本工具4%	（1）正确选用常用工具	2%	掌握
		（2）正确选用随机专用工具	2%	掌握
	2.检测工具6%	（1）检测工具的正确选用	2%	掌握
		（2）量缸表的应用	2%	掌握
		（3）游标卡尺精度的选用	2%	掌握
安全生产15%	1.文明生产5%	（1）按土方施工方案正确施工	3%	掌握
		（2）完成生产任务好	2%	
	2.安全 5%	（1）对安全事故苗子和安全事故的预防措施	3%	熟练
		（2）施工作业时的安全注意事项	2%	掌握
	3.其他 5%	做好施工作业和机械运转状况的交接班工作	5%	熟练

（二）技能鉴定试题范例

理论部分（共 100 分）

1.是非题（对的打"√"，错的打"×"，每题 1 分，共 25 分）

（1）推土、铲运机离合器摩擦片有油污打滑时要进行清洗，最好在工作后进行清洗。（　　）

（2）推土机向深沟悬崖边缘推土时，应先换好倒车档先起步后提升推力。（　　）

（3）推土、铲运机组施工时上坡车应让下坡车。　　（　　）

（4）推土、铲运机在踩下制动踏板有强烈的抖动，这是因为制动器摩擦片打滑。　　（　　）

（5）自行式铲运机实习驾驶员如有违反交通规则或发生事故、监督员没有责任。　　（　　）

（6）铲运机转弯时，禁止把钢索收到底。　　（　　）

（7）摩擦片翘曲会造成离合器有拖带现象。　　（　　）

（8）上海-120和红旗-100推土铲运机发动机冷却系统是风冷式。　　（　　）

（9）当发动机不工作或主离合器分离后，油压增力器仍有作用。　　（　　）

（10）推土、铲动机在陡坡上纵向行驶时可以拐死弯。　　（　　）

（11）自行式铲运机，在行驶时，支线车应让干线车。　　（　　）

（12）发动机汽缸盖衬垫损坏，使压缩比缩小。　　（　　）

（13）发动机排气行程，在活塞到达下止点前一定角度就排气门提前开启。　　（　　）

（14）用轮廓算术平均偏差（R_a）表示粗糙度，在标注时，可省略R_a符号。　　（　　）

（15）发动机排气冒黑烟，表示发动机燃烧室内进入机油。　　（　　）

（16）发动机水泵叶轮损坏，会使发动机冷却水温升高。　　（　　）

（17）液压推土操纵杆的浮动位置，主要是为了便利操作。　　（　　）

（18）风冷发动机的气缸体与曲轴箱是分开铸造的。（　　）

（19）串联电路的总电路两端的总电压、等于各电阻两端电压之和。　　　　　　　　　　　　　　　（　）

（20）上海-120 红旗-100 推土、铲运机主离合器的制动盘，可使变速箱上轴制动使其迅速停止转动，以便进行变速换档。　　　　　　　　　　　　　　　　　　　（　）

（21）推土机切削土壤的刀刃，要求有耐磨性和便于更换。　　　　　　　　　　　　　　　　　　　（　）

（22）推土机推土刀架可调节成斜铲、主要用于将土壤推向一侧的工况。　　　　　　　　　　　　　（　）

（23）主动齿轮转速与被动齿轮转速之比称为传动比。
　　　　　　　　　　　　　　　　　　　　　　（　）

（24）液压系统中用来改变工作机构运动速度的是流量控制阀。　　　　　　　　　　　　　　　　　（　）

（25）液力耦合器和液力变矩器是利用液体为工作介质来传递动力。　　　　　　　　　　　　　　　（　）

2．选择题（把正确答案的序号填在横线上，每题 1 分，共 25 分）

（1）当运土距离在____m 范围内用拖式铲运机较合适。
A．20～150　　B．40～300　　C．60～600　　D.80～800

（2）清洗离合器摩擦片时可以用干净的____。
A．柴油　　B．汽油　　C．液压油　　D．水

（3）主离合器有拖带现象则会使____。
A．变速箱齿轮难于啮合　　　B．发动机难于发动
C．推土机起步困难　　　　　D．推土机制动时困难

（4）发动机曲轴箱内冒烟，这是因为____。
A．气门间隙过小　　　　　　B．活塞与气缸间隙过大
C．润滑油太多　　　　　　　D．燃烧不良

（5）用于加工和检验零件的图样是____。

A. 立体图　　　　　　　　B. 装配图

C. 零件图　　　　　　　　D. 剖面图

（6）含碳量为____的碳素钢为低碳钢。

A. ＜0.01%　　　　　　　B. ＜0.1%

C. ＜0.25%　　　　　　　D. ＜1%

（7）未拉动转向离合器操纵杆推土机跑偏这是因为____。

A. 主离合器摩擦打滑

B. 该边转向离合器摩擦片打滑

C. 另一边制动器调整不当

D. 推土机推土刀板调节成侧铲

（8）用于将零件装配在一起的图样为____。

A. 主视图　　　　　　　　B. 装配图

C. 零件图　　　　　　　　D. 立体图

（9）合金元素总含量在____的合金钢为中合金钢。

A. 1%～5%　　　　　　　B. 5%～10%

C. 10%～15%　　　　　　D.10%～20%

（10）摩擦片式离合器是依靠____来传递动力。

A. 摩擦力　　B. 拉力　　C. 压力　　D. 键

（11）推土机转向离合器是用来____的机构。

A. 行走　　　B. 推土　　C. 变速　　D. 转向

（12）两相互啮合的齿轮其模数____。

A. 大齿轮模数比小齿轮大　B. 大齿轮模数比小齿轮小

C. 两齿轮的模数相同　　　D. 可以任意选择

（13）调整推土、铲运机主离合器时____。

A. 仅须调整到在全负荷下推土时不打滑

B. 在行驶中不打滑

C. 需要双手扳动操纵杆才能使离合器接合

D. 接合离合器时拉动操纵杆有越过死点的感觉

（14）发动机空气滤清器纸质滤芯被油沾污或沾湿时____。

A. 可以提高滤清程度

B. 增加进气量提高发动机功率

C. 减少进气量，使发动机温度升高

D. 极易沾染灰尘、阻塞滤芯，发动机功率下降

（15）自行式铲运机在夜间作业时，如遇对方来车，应在____m以外将大光灯改为小光灯。

A. 30　　B. 50　　C. 75　　D. 100

（16）安装发动机活塞环时，其活塞环开口，应相互错开____。

A. 90°　　B. 120°　　C. 145°　　D. 180°

（17）____传动用于传递交错轴之间的运动。

A. 圆柱齿轮　　　　B. 圆柱斜齿轮

C. 蜗轮蜗杆　　　　D. 三角带

（18）红旗-100型推土、铲运机履带中心距为____mm。

A. 1280　B. 1580　C. 1880　D. 2080

（19）因____柴油发动机排气会冒蓝烟。

A. 喷油时间过早　　B. 喷油时间太迟

C. 发动机水温太高　D. 发动机上机油

（20）红旗-100A推土、铲运机启动机功率为____马力。

A. 10　　B. 15　　C. 17　　D. 20

（21）平型带传动的特点有____。

A. 结构复杂

B．不适应用于两轮中心距较大的场合

C．过载打滑保持正确传动比

D．富有弹性能缓冲传动平稳无噪声

（22）用绳卡连接钢丝绳时，绳卡间距不应小于钢丝绳直径的＿＿倍。

A．3　　B．6　　C．8　　D．10

（23）四行程柴油机的动作行程是＿＿。

A．活塞从上止点向下止点移动，进排气门关闭，活塞到达上止点时开始喷油

B．活塞从上止点向下止点移动，进、排气门关闭活塞到达上止点前一定角度时喷油

C．活塞从上止点向下止点移动，进、排气门关闭活塞到达上止点后开始喷油

D．活塞从上止点向下止点移动，进排气门关闭，活塞到达上止点前开始喷油

（24）推土、铲运机的走合期一般规定为工作＿＿h。

A．100　　B．150　　C．200　　D．300

（25）70号汽油中的70表示＿＿。

A．蒸发性　　　　　　B．粘度

C．辛烷值　　　　　　D．四乙基铅含量

3．计算题（每题10分，共20分）

（1）已知：如图示 $R_1 = 7\Omega$　$R_2 = R_3 = 10\Omega$，电瓶两端电压 $U_1 = 12V$，试求：电流 I。

（2）在开口式平型带传动中，小轮直径 $D_1 = 200$mm，大轮直径 $D_2 = 600$mm，两轮中心距离 $a = 1200$mm，试求：传动

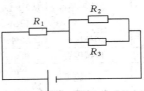

比 i 平型带的计算长度。

4. 简答题（每题 5 分，共 30 分）

（1）推土机传动装置的功用是什么？包括哪些主要机构？

（2）推土铲运机装火车或平板时，应注意哪些工作？

（3）红旗-100 操纵机构绞盘制动带失效的原因及排除方法？

（4）主离合器分离不彻底有什么危害？

（5）什么叫电流？产生电流的条件是什么？电流的方向怎样规定？

（6）产生发动机压缩压力不足的原因及排除方法？

实际操作部分

题目：重质土壤场地的平整（运土距离在 100m 以内）

考核项目及评分标准

序号	考核项目	评 分 标 准	满分	检 测 点					得分
				1	2	3	4	5	
1	机械选择	机械选择正确 运土距离在 100m 以内 推土装置加松土装置	5						
2	操作顺序	操作顺序正确： 挖填高差大地段，推出标高小块，先松土后推土（或改成侧推刀，先将原土破开）	20						
3	场地平整度	场地平整度符合设计要求，从中心线往两边线偏差 ±12cm 水平标高 ±12cm	30						
4	场外区域	场外不被破坏无土堆物	10						
5	机械停置	机械停置点选择正确	5						
6	文明施工	不浪费材料，工完场清机清	10						

序号	考核项目	评分标准	满分	检测点					得分
				1	2	3	4	5	
7	安全生产	重大事故不合格，小事故扣分	10						
8	工　效	根据项目，按劳动定额进行低于90%本项无分在90%～100%之间酌情扣分 超过定额的酌情加分	10						

注：水平标高检查点的要求

项次	项　目	水平标高检测点
1	场地平整	$10×10～20×20m^2$ 取一点，总数不小于10点
2	基　坑	$20m^2$ 取5点，每个基坑不少于2点
3	基槽和管沟	20m取一点，总数不少于2点
4	路　堤	20m取一组（2点）总数不少于5组
5	其他挖填方	$30～50m^2$ 取一点，总数不少于5点

三、高级工

（一）技能鉴定规范的内容

项目	鉴定范围	鉴定内容	鉴定比重	备注
知识要求			**100%**	
基本知识20%	1.识图知识6%	（1）投影变换	2%	熟练掌握
		（2）典型零件的测绘	2%	掌握
		（3）装配图尺寸标注和技术要求	1%	了解
		（4）装配图拆画零件图	1%	了解

27

项目	鉴定范围	鉴 定 内 容	鉴定比重	备注
基本知识 20%	2. 电工知识 6%	(1) 较复杂的电气控制原理图	2%	掌握
		(2) 较复杂的直流电路,单相交流电路和三相交流电路的分析	3%	熟练
		(3) 电子技术基础知识	1%	了解
	3. 机械与液压一般知识 8%	(1) 定轴轮系和周转轮系的计算 (2) 机械零件设计的一般知识 (3) 液压传动和制动在本机械的应用 (4) 本机械的技术管理知识	4%	掌握
		(5) 本机械的发展动态和先进的施工方法	4%	掌握
专业知识 60%	1. 电气 5%	(1) 蓄电池故障的判定及排除方法	3%	掌握
		(2) 机械电气故障的排除方法	2%	掌握
	2. 机械 35%	(1) 推土、铲运机底盘易损件的鉴定	8%	熟练
		(2) 机械大修的判断	6%	掌握
		(3) 机械设备报废和技术鉴定	5%	掌握
		(4) 液压传动系统的构造、工作原理和调整、保养、检修及故障的排除	8%	掌握
		(5) 了解土方机械的发展动态	8%	掌握
	3. 修理 20%	(1) 所驾驶机械各类故障的排除	5%	掌握
		(2) 所驾驶机械大修理规范和出厂验收标准	5%	掌握
		(3) 零件的加工修复方法	5%	掌握
		(4) 发动机易损件鉴定和修复方法	5%	掌握
相关知识 20%	1. 机械管理 10%	(1) 机械管理的规定和机构	2%	了解
		(2) 机械管理的有关制度和措施	2%	掌握
		(3) 机械设备的合理使用	3%	掌握
		(4) 新材料、新设备、新技术的应用	3%	掌握
	2. 安全与质量 5%	(1) 安全制度和预防措施的制订	2%	掌握
		(2) 对新工人、初、中级工的安全教育和示范	1%	掌握
		(3) 施工质量的验收规范	2%	掌握

项目	鉴定范围	鉴 定 内 容	鉴定比重	备注
相关知识20%	3.施工方案5%	(1) 本岗位施工方案的编制 (2) 本岗位施工方案的组织与管理	2% 3%	掌握 掌握
操作要求			**100%**	
操作技能75%	1.机械操作20%	(1) 熟练正确操作本工种不同类型的推土、铲运机 (2) 新引进推土、铲运机的验收和技术鉴定 (3) 对初、中级工的示范操作、传授技能	6% 6% 8%	熟练 掌握 熟练
	2.施工技术20%	(1) 参与编制大型土方工程施工组织设计 (2) 解决本工种施工中复杂的技术问题 (3) 多种推土、铲运机联合作业的施工组织	6% 6% 8%	掌握 掌握 掌握
	3.修理35%	(1) 参与设备的大、中修 (2) 排除本工种不同类型机械的各种故障 (3) 大、中修出厂机械的试车和验收 (4) 对初、中级工传授一般故障的判定和排除方法 (5) 参与推土、铲运机大修的备料工作	8% 8% 8% 6% 5%	掌握 熟练 熟练 掌握 掌握
工具设备的使用与维护10%	1.设备鉴定6%	(1) 推土、铲运机运转时发生故障的技术判定 (2) 推土、铲运机的大修鉴定	3% 3%	熟练 掌握
	2.检测工具4%	正确运用千分尺量缸表测量气缸或缸筒的磨损情况	4%	掌握

项目	鉴定范围	鉴 定 内 容	鉴定比重	备注
安全及其他15%	1. 文明生产3%	在土方工程施工中，为挖土机、压路机、土方运输车辆创造条件	3%	熟练
	2. 安全4%	设备、安全事故的案例分析及防范措施，做到三不放过教育	4%	熟练
	3. 其他 8%	(1) 新设备、新工艺的应用	4%	掌握
		(2) 土方机械的先进施工方法	4%	掌握

（二）技能鉴定试题范例

理论部分（共 100 分）

1．是非题（对的打"√"，错的打"×"，每题 1 分，共 25 分）

（1）上海-120、红旗-100 推土、铲运机离合器是经常接合式离合器。　　　　　　　　　　　　　（　）

（2）推土、铲运机支重轮凸缘磨损，会造成跑偏现象。

（　）

（3）上海-120、红旗-100 推土铲运机最终传动装置的主动齿轮在轴承中的轴向游隙应在 1～2mm 范围内。（　）

（4）推土机在安装自紧油封时应被压缩 4～8mm。（　）

（5）当推土机、铲运机主离合有打滑现象时，绝对不准让推土机再工作。　　　　　　　　　　　　（　）

（6）推土机液压操纵系统中进入空气，不必排除空气。

（　）

（7）发动机在工作 1h 发出 1HP 所消耗的燃油重量是以 g 计算称为有效消耗率（g/HP·h）。　　　　（　）

（8）在调换液压系统的液压油时，调换下来的油经沉淀

后仍不可以使用。　　　　　　　　　　　　　　　（　）

（9）推土、铲运机，不工作时发动机不能在较长时间内进行怠速运转。　　　　　　　　　　　　　　　　（　）

（10）推土、铲动机增力器机油粘度太小，会使拉动转向操纵杆时很费力。　　　　　　　　　　　　　　　（　）

（11）推土机液压系统因滤网被污物堵住，会使液压油温过低。　　　　　　　　　　　　　　　　　　　（　）

（12）发动机新的连杆轴瓦具有互换性，经使用过的连杆轴瓦在拆下重装时，可以互换。　　　　　　　　（　）

（13）为了使三相交流电机反转只要互换任意两根电源线即可。　　　　　　　　　　　　　　　　　　　（　）

（14）当熔丝（熔芯）断路后，应及时设法用导电物体代替，来保证机械连续工作。　　　　　　　　　　（　）

（15）发动机活塞裙部径向呈椭圆形，椭圆的长轴与活塞销轴线同向。　　　　　　　　　　　　　　　　（　）

（16）喷油泵每次泵出的油量取决于柱塞的有效行程的长短，而改变有效行程可采用改变柱塞斜槽与柱塞套筒油孔的相对角位移。　　　　　　　　　　　　　　　　（　）

（17）推土、铲运机转向离合器是非经常接合式离合器。
　　　　　　　　　　　　　　　　　　　　　　　（　）

（18）当蜗杆的螺旋导角小于6°时（单头）则蜗杆传动具有自锁作用。　　　　　　　　　　　　　　　　（　）

（19）液压油具有良好的润滑性能，有很高的液膜强度。
　　　　　　　　　　　　　　　　　　　　　　　（　）

（20）节流阀是简易的压力控制阀，调节通过的流量，改变液压机的工作速度。　　　　　　　　　　　　（　）

（21）液力变矩器将发动机的动力转换为油的动能，再

将油的动能转换为机械能而输出动力。　　　　　　　（　　）

（22）推土机液压操纵系统推土板操纵杆有提升、下降、停止、浮动四个位置。　　　　　　　　　　　　　　（　　）

（23）推土、铲运机最终传动的驱动轮有整体式和分块式两种。　　　　　　　　　　　　　　　　　　　　（　　）

（24）在运距较近的半挖半填地区尽量采用下坡推土。
　　　　　　　　　　　　　　　　　　　　　　　　（　　）

（25）铲运机施工是综合施工包括挖、运、卸三个工序。
　　　　　　　　　　　　　　　　　　　　　　　　（　　）

2．选择题（把正确答案的序号填在横线上，每题 1 分，共 25 分）

（1）推土机变速箱在变速机构中设有联锁机构来保证推土机在行驶途中＿＿＿。

A. 不跳档　　　　　　　B. 易变速

C. 改变行驶方向　　　　D. 不自行转向

（2）上海-120 推土机在每个台车架的下部装有左右各五个支重轮，其中第＿＿＿为双边支重轮。

A. 二、四　　B. 一、三　　C. 二、五　　D. 一、四

（3）为使钢件有较高的韧性和足够的强度可以用＿＿＿来达到。

A. 淬火　　　B. 回火　　　C. 调质　　　D. 退火

（4）上海-120 推土机发动机活塞环开口间隙超过＿＿＿mm 时应调换。

A. 1.5　　　B. 2　　　C. 2.5　　　D. 3

（5）千分尺的测量范围间隔为＿＿＿mm。

A.10　　　　B.25　　　C. 50　　　D. 75

（6）土方工程量指＿＿＿。

A. 运输车辆装运的土壤体积

B. 挖土的斗容量

C. 天然密实度状态的土壤体积

D. 卸土堆积的土壤体积

（7）当推土、铲运机在平地陷车，需用多台机械拖车时应____。

A. 一台机械在前面拉一台机械在后面顶

B. 一台连接一台串联在一起拖

C. 多台机械并排拖

D. 多台机械的行驶速度不同

（8）正常工作时液压系统中，液体的压力取决于____。

A. 油泵的工作压力　　　　B. 压力阀的调整

C. 平衡阀　　　　　　　　D. 外界负载

（9）三相交流电源的星形接法，其线电压 $U_线$ 和相电压 $U_相$ 的关系为____。

A. $U_线 = U_相$　　　　　　　B. $U_线 = \sqrt{3}\,U_相$

C. $U_线 = \dfrac{1}{3}\,U_相$　　　　　D. $U_线 = \sqrt{2}\,U_相$

（10）溢流阀的进口压力为____。

A. 油泵额定压力　　　　　B. 工作压力

C. 回油压力　　　　　　　D. 系统压力

（11）"O" 形密封圈的特点是____。

A. 结构简单、密封可靠、摩擦力小

B. 密封可靠、摩擦力大

C. 油压越大、密封性能越差

D. 结构复杂、密封可靠、摩擦力小

（12）柱塞泵____。

A. 噪声最低

B. 寿命较短

C. 单位功率造价最低

D. 压力最高、多用于大功率

（13）发动机活塞销与活塞销孔是____。

A. 过盈配合　　　　　　B. 过渡配合

C. 动配合　　　　　　　D. 滚动摩擦

（14）有一只额定功率为 1W，电阻值为 100Ω 的电阻，允许通过的最大电流为____A。

A. 100　　B. 1　　C. 0.1　　D. 0.01

（15）调节溢流阀中的弹簧压力，即可调节____的大小。

A. 油泵额定压力　　　　B. 系统压力

C. 油缸工作速度　　　　D. 油泵供油量

（16）上海-120 推土机 6135 发动机活塞气环间隙超过____mm时，应调换。

A. 1　　　B. 2　　　C. 3　　　D. 4

（17）上海-120 发动机凸轮轴推力面积轴承面之间轴向间隙超过____mm 时应调换。

A. 0.2　　B. 0.4　　C. 0.8　　D. 1

（18）红旗-100 型推土、铲运机 4146 发动机气缸盖螺母 M20 扭紧度为____kg·m。

A. 15～22　　　　　　　B. 20～25

C. 25～30　　　　　　　D. 28～35

（19）红旗-100 推土、铲运机 4146 发动机活塞裙部末端与气缸间隙超过____mm 时应修理或更换。

A. 0.50　　B. 0.60　　C. 0.70　　D. 0.80

（20）东方红推土机 4125 发动机气缸套椭圆度超过____

mm 时应修理或更换。

A. 0.10　　B. 0.20　　C. 0.30　　D. 0.40

（21）发动机活塞裙部加成椭圆形，这是因为考虑到____。

A. 增加活塞裙部强度　　　　B. 减少活塞重量
C. 活塞受热膨胀不均　　　　D. 活塞受力不均

（22）施工机械的日常维护保养的十字作业法是____。

A. 清洁、润滑、紧固、调整、防腐
B. 清洁、润滑、保养、调整、紧固
C. 保养、清洁、调整、测试、防腐
D. 测试、清洁、润滑、调整、紧固

（23）施工机械使用的总目标是____。

A. 计划施工　　　　　　　　B. 维护保养
C. 提高利用率　　　　　　　D. 合理使用

（24）某进口机械由于没有配件，长期处于停置状态最后不得不报废，这种报废属____。

A. 腐蚀报废　　　　　　　　B. 技术报废
C. 经济报废　　　　　　　　D. 特种报废

（25）机械设备的重大事故是指直接经济损失在____万元以上。

A. 1　　B. 2　　C. 3　　D. 4

3. 计算题：（每题 10 分，共 20 分）

（1）开挖一渠道尺寸如图长度为 800m 用 8 台 C3-A6 红旗-100 铲运机挖运土方，平均循环作业时间为 $T_c = 6min$，二班制连续作业，试求共需多少天才能完工？

（2）如图示中，手柄和齿轮 1 装在同一根轴上，转动手柄带动丝杠移动，从而使砂轮架进给，若已知丝杠为右旋，

其导程 $S = 3$mm 齿轮齿数 $Z_1 = 28$，$Z_2 = 56$，$Z_3 = 38$，$Z_4 = 57$。

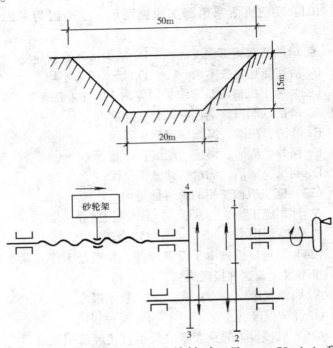

试计算当手柄按图示方向旋转时，且 $n_1 = 50$r/min 砂轮移动的距离和方向。

4. 简答题（每题 5 分，共 30 分）

（1）如何提高推土机生产率？

（2）动力绞盘铲刀降落缓慢或不降落的原因？

（3）对机械的润滑工作应注意哪些事项？

（4）简述零件图测绘的方法和注意事项？

（5）液压油系统压力不能提高的原因是什么？如何排

除？

（6）机械设备事故的类别如何划分？

实际操作部分

题目：推坡度（运土距离在 50m 以内）

考核项目及评分标准

序号	测定项目	评分标准	满分	检测点					得分
				1	2	3	4	5	
1	机械选择	机械选择正确 运土距离在（50m 以内）可用推土机推坡度	10						
2	操作顺序	操作顺序正确：（宜采用下坡推土）	20						
3	坡底	符合施工要求	30						
4	机械停置	机械停置点选择正确	5						
5	文明施工	不浪费材料，工完场清机清	10						
6	安全生产	重大事故不合格，小事故扣分	10						
7	工效	根据项目，按劳动定额进行低于 90% 本项无分在 90%～100% 之间酌情扣分 超过定额的酌情加分	10						

第三部分
推土机（铲运机）驾驶员职业技能
岗位鉴定试题库

第一章　初级推土机（铲运机）驾驶员

理论部分

（一）是非题（对的打"√"，错的打"×"，答案写在每题括号内）

1. 推土、铲运机主离合器接合时，应缓缓拉动操纵杆，当推土机开始行走时，再将操纵杆向后拉至最后位置，使主离合器完全结合。　　　　　　　　　　　　　　　　（√）

2. 推土、铲运机主离合器分离时，将操纵杆缓缓向前推，当机械停止行走时，再将操纵杆向前至最前位置，使主离合器完全分离。　　　　　　　　　　　　　　　（×）

3. 铲运机在陡坡上严禁停车。　　　　　　　　　　（√）

4. 推土、铲运机在调整主离合时，必须关闭发动机。
　　　　　　　　　　　　　　　　　　　　　　　　（√）

5. 推土、铲运机在三速以上不宜急转弯。　　　（×）

6. 推土、铲运机在工作时，脚可以搁在制动踏板上。
　　　　　　　　　　　　　　　　　　　　　　　　（×）

7. 自行式铲运机的差速锁在锁住时可以拐弯。　（×）

8. 履带推土机横过铁路时可以转弯。　　　　　（×）

9. 推土机暂时停留时，推土板要放在地面上。　（✓）

10. 推土铲运机发动机启动困难时，可以用拖带的办法来发动柴油机。　（✗）

11. 机械在行驶途中，铲运斗内、推刀架上、羊足碾铲运的拖把上可以坐人。　（✗）

12. 铲运机上公路行驶时铲斗内不可以装油料、钢材等物。　（✓）

13. 上海-120 推土机有两只电瓶、要求并联使用，其电压为 24V。　（✗）

14. 常用的制图工具只有丁字尺和图板。　（✗）

15. 机械在行驶途中，铲运斗内、推刀架上、羊足碾铲运的拖把上禁止站人。　（✓）

16. 推土、铲运机驾驶室内装有电风扇，当发动机熄火后可以继续使用。　（✗）

17. 上海-120 推土机发动机曲轴旋转方向（面向飞轮端）是逆时针方向。　（✓）

18. 当推土、铲运机转弯时，可以先踩制动踏板，再拉分离合器操作杆。　（✗）

19. 有电瓶的机械，应先拆除一根电瓶线后、方可用毛刷沾汽油来擦洗机械。　（✓）

20. 当推土、铲运机转弯完毕后，先松制动踏板再放松转向离合器操作杆。　（✓）

21. 上海-120 发动机旋转式机油滤清器为粗滤器。（✗）

22. 推土、铲运机转向离合器，可以使机械达到转弯的目的。　（✓）

23. 机械在换油时，放油应在机械工作刚完毕趁机油尚热时进行。　（✓）

24. 俯视图反映了物体的长度和宽度。　　　　（√）

25. 推土、铲运机下坡时右转弯，拉左边转向离合器操纵杆。　　　　　　　　　　　　　　　　　　（√）

26. 铲运机不宜在潮湿粘土带进行作业。　　　（√）

27. 推土、铲运机离合器处于半接合状态，不仅降低工作效率，还将造成离合器早期磨损或烧坏。　　（√）

28. 推土、铲运机的转向操纵杆是通过液压增加器进行的，主要是为了在操纵时比较平稳操作。　　　（×）

29. 侧视图是反映物体的高度和宽度。　　　　（√）

30. 推土、铲运机停在上坡状态，可将变速杆放在后退一速位置。　　　　　　　　　　　　　　　　（×）

31. 自行式铲运机在行驶时支线车应让干线车。（√）

32. 推土、铲运机换档时，应使机械完全停止后，才可移动变速杆到所需位置。　　　　　　　　　　（√）

33. 红旗-100推土、铲运机在发动启动机时，可以摇转手柄。　　　　　　　　　　　　　　　　　　（×）

34. 推土、铲运机在行驶中转弯、踩下该边制动踏板就可以了。　　　　　　　　　　　　　　　　　（×）

35. 推土、铲运机下坡时可以用空档滑行。　　（×）

36. 自行式铲运机的差速器锁，在直线引驶的泥路面上可长时间使用。　　　　　　　　　　　　　　　（×）

37. 推土、铲运机临时停在下坡状态，变速杆应放在后退一速的位置。　　　　　　　　　　　　　　（√）

38. 推土、铲运机离合器摩擦片沾油打滑时，不可以用汽油来清洗。　　　　　　　　　　　　　　　（×）

39. 当发动机不工作或主离合器分离后，油压增力器仍有增压作用。　　　　　　　　　　　　　　　（×）

40．推土、铲动机在坡度上停车，应将制动踏板踏下，并用锁紧手柄锁住。　　　　　　　　　　　　（√）

41．履带式推土、铲动机横过铁路时，铁道中间要铺设枕木后才能通过。　　　　　　　　　　　　（√）

42．推土、铲运机转向离合器壳内有油时，要进行放油工作。　　　　　　　　　　　　　　　　　（√）

43．推土、铲运机发动机节温器失灵则会使发动机水温升高。　　　　　　　　　　　　　　　　　（√）

44．推土、铲运机的履带张紧装置，同时也是缓冲装置。　　　　　　　　　　　　　　　　　　　（√）

45．推土、铲运机不可以用作碾碎石块的工作。　　（√）

46．推土、铲运机工作结束后将机械停放在平地上，推刀和铲运斗可悬挂空中。　　　　　　　　　　（×）

47．用于将零件装配在一起的图样是主体图。　　（×）

48．上海-120、红旗-100型推土铲运机为减轻司机疲劳强度设有油压增力器。　　　　　　　　　　　（√）

49．用于加工零件的图样是立体图。　　　　　　（×）

50．推土、铲运机加油时可以抽烟或者接近明火。（×）

51．推土机推土时宜用中速。　　　　　　　　　（√）

52．根据欧姆定律变换式 $R = \dfrac{U}{I}$ 可以知道导体的电阻 R 与电压和电流有关。　　　　　　　　　　　　（√）

53．擦图板片是用来擦掉多余线条而使附近线条不受影响的修改图纸的工具。　　　　　　　　　　　（√）

54．封闭尺寸链就是头尾相接绕成一整圈的一组尺寸。
　　　　　　　　　　　　　　　　　　　　　　（√）

55．不得用推土机推石灰、烟灰等粉尘物料。　　（√）

56．铲运机铲土铲满后，应先将斗前的松土刮平后再升高铲斗开始运土。　　　　　　　　　　　　　　　（√）

57．上海-120、红旗-100 型推土、铲运机主离合壳有油时在工作中旋下放油塞。　　　　　　　　　　　　（×）

58．发动机进气行程时，进气门关闭排气门开启。（×）

59．电流在物体中流动时遇到的阻力称为电阻。　（√）

60．主视图反映了物体的长度和高度。　　　　　（√）

61．推土、铲运机在上坡和下坡行驶时，可以变速（换档）。　　　　　　　　　　　　　　　　　　　（×）

62．红旗-100 和东方红-60 推土机启动机为柴油发动机。　　　　　　　　　　　　　　　　　　　　（×）

63．通过电路的电流强度与电路本身的电阻大小成反比。　　　　　　　　　　　　　　　　　　　　　（√）

64．红旗-100、东方红推土机要用熄火装置来熄灭启动机。　　　　　　　　　　　　　　　　　　　　（√）

65．标注尺寸时，允许出现封闭的尺寸链。　　　（×）

66．推土、铲运机驾驶员，必须经过培训考核合格，才可以驾驶机械。　　　　　　　　　　　　　　　（√）

67．柴油发动机一般水温不得超过 90℃。　　　　（√）

68．推土、铲运机在行驶途中与马车会车时，应提高油门迅速通过。　　　　　　　　　　　　　　　　（×）

69．发动机发动时曲轴转速应大于启动转速方能启动发动机。　　　　　　　　　　　　　　　　　　　（√）

70．电阻只与导体的长度和横截面积有关。　　　（×）

71．上海-120 液压推土机推土工作装置有强制切土的优点。　　　　　　　　　　　　　　　　　　　　（√）

72．柴油滤清器外壳底部有一个放油塞，其作用是用来

放燃油的。　　　　　　　　　　　　　　　　　（×）

73．推土、铲运机在运转中发生故障时，应及时进行维修保养和调整作业。　　　　　　　　　　　　　　　（×）

74．在保养清洁空气滤清器用压缩空气吹时，应从滤芯外部向内部吹。　　　　　　　　　　　　　　　　（×）

75．柴油发动机在进气行程进入气缸内的空气是新鲜空气。　　　　　　　　　　　　　　　　　　　　　（√）

76．上海-120 和红旗-100 铲运机离合器有油渍会引起离合器分离不彻底。　　　　　　　　　　　　　　（×）

77．曲线板是用来划圆及其他复杂线形的工具。　（×）

78．推土、铲运机钢丝绳安装绳夹时，应将压板放在长绳一侧。　　　　　　　　　　　　　　　　　　　（√）

79．柴油发动机空气滤清器堵塞，则进气不足，排气冒白烟。　　　　　　　　　　　　　　　　　　　　（×）

80．四冲程发动机只有燃烧冲程才作功，其余三个冲程是消耗功的。　　　　　　　　　　　　　　　　（√）

81．推土、铲运机主离合主要是为了使发动机和变速箱平稳地连接或分离。　　　　　　　　　　　　　（√）

82．发动机因活塞环磨损使油底壳的机油窜入气缸内，排气会冒蓝烟。　　　　　　　　　　　　　　　（√）

83．推土机是在拖拉机底盘上加装推土刀和必要的操纵机构。　　　　　　　　　　　　　　　　　　　（√）

84．当发动机冷却水箱烧开时，不可以用手直接打开水箱盖。　　　　　　　　　　　　　　　　　　　（√）

85．柴油发动机是通过电火花强制点燃才燃烧作功的。
　　　　　　　　　　　　　　　　　　　　　　（×）

86. 推土、铲运机变速箱的作用只是改变行走速度。

（×）

87. 发动机水泵轴损坏，会使发动机水温升高。　（√）

88. 发动机气门间隙太小，会发出清脆的响声。　（×）

89. 发动机机油滤清器主要用来清除循环机油中所含的杂质。

（√）

90. 小功率发动机往往可以采用人力启动如手摇、拉绳的启动方法。

（√）

91. 汽油发动机进入气缸内的气体是空气与汽油的混合气体。

（√）

92. 推土、铲运机下坡行驶时，可以分离主离合器自行下坡。

（×）

93. 局部视图是完整的基本视图。　（×）

94. 发动机机油冷却器主要是用来防止机油温度过低。

（×）

95. 斜度在图纸上无法用符号来表示。　（×）

96. 红旗-100推土机铲运机、柴油发动机启动齿轮不会自动脱离。

（×）

97. 四行程四缸发动机曲轴旋转一周（360°）有四只缸燃烧作功。

（×）

98. 推土、铲运机钢丝绳安装绳夹时钢丝绳应压扁。$\frac{1}{3}$ ～ $\frac{1}{4}$ 钢丝绳直径为正确。

（√）

99. 推土、铲运机在陡坡上纵向行驶时不能拐死弯。

（√）

100. 发动机有二冲程、四冲程和旋转式发动机。　（√）

101. 自行式铲运机实习驾驶员驾驶机械时，必须有正

式驾驶员做监督指导。 （✓）

102.发动机气缸盖在工作时，不直接与高温、高压相接触。 （✗）

103.推土机根据作业条件的需要、推土刀板可调节成斜铲。 （✓）

104.推土机下坡时，应将推土刀接触地面，并倒车下行。 （✓）

105.发动机燃烧冲程时，进气门、排气门都关闭。 （✓）

106.厚薄规用来检验两个相结合面之间的间隙。 （✓）

107.发动机气缸垫是防止漏气、漏水和密封燃烧室。 （✓）

108.推土、铲运机在陡坡上可以横向行驶。 （✗）

109.推土、铲运机在行驶时，重载机械应让空载机械。 （✗）

110.东方红-60推土机4125发动机工作顺序为1-3-4-2。 （✓）

111.履带式推土、铲运机可以在公路上行驶。 （✗）

112.推土机发动机紧急停车拉手是使发动机停止时使用。 （✗）

113.千分尺可以测量工件的内径、外径和厚度。 （✗）

114.游标卡尺可以测量工件的内径、外径和深度。 （✓）

115.推土、铲运机转弯时，踩下制动踏板即可使推土、铲运机转向。 （✗）

116.上海-120推土机推土板操纵杆有提升和下降两个位置。 （✗）

117. 推土铲运机发动机冷却水温达到 45℃ 以上才允许带负荷工作。 （✓）

118. 东方红推土机在启动发动机时，可以将启动绳绕在手腕上启动。 （×）

119. 推土、铲运机行驶时，驾驶员不得离开机械。 （✓）

120. 1 微米等于 10^{-5} m。 （×）

121. 微米的符号用 μm 来表示。 （✓）

122. 通过电路的电流强度和加在电路两端的电压成正比。 （✓）

123. 导体电阻只与导体的材料、长度、横截面积有关，与电压电流无关。 （✓）

124. 学员驾驶铲运机时，应让正式驾驶员驾驶的铲运机。 （×）

125. 推土、铲运机驾驶员酒后禁止驾驶机械。 （✓）

（二）选择题（答案的序号填在每题横线上）。

1. 上海-120 型推土机调整主离合器时反映在拉动操作杆上的力为在　B　范围内，并感到有越过明显的死点。

　　A. 10±2kg　　　　　　　　B. 14±2kg

　　C. 20±2kg　　　　　　　　D. 30±2kg

2. 红旗-100 型铲运机制动器制动行程调整为　C　范围内为正确并能灵敏转弯。

　　A. 100～150mm　　　　　B. 120～160mm

　　C. 150～190mm　　　　　D. 160～200mm

3. 推土机在坡度上横向行驶，其坡度不得超过　A　。

　　A. 10°　　B. 15°　　C. 20°　　D. 25°

4. 铲运机在坡度上横向行驶，其坡度不得超过　A　。

A. 6°   B. 10°   C. 20°   D. 30°

5. 红旗-100 型转向离合器操纵杆行程为＿C＿mm。

A. 70～90   B. 100～120

C. 135～165   D. 160～180

6. 用直流电动机启动柴油机时，电动机每次启动时间不得超过＿B＿s。

A. 5   B. 15   C. 25   D. 30

7. 调整推土机主离合器时必须＿B＿。

A. 向机管员汇报   B. 推土机停止工作

C. 趁热调整   D. 关闭发动机

8. 上海-120 型推土机爬坡能力＿C＿。

A. 5°   B. 15°   C. 30°   D. 40°

9. 上海-120 型推土机总重量＿B＿kg。

A. 15000   B. 16000

C. 17000   D. 18000

10. 红旗-100 型铲运机爬坡能力＿C＿。

A. 10°   B. 20°   C. 30°   D. 40°

11. 用推土机推围墙或旧房墙时，其高度一般不超过＿B＿m。

A. 1   B. 2.5   C. 4   D. 5

12. 用剖切面局部地剖开机件，所得的剖视图为＿D＿。

A. 全剖视图   B. 半剖视图

C. 俯视图   D. 局部剖视图

13. 发动机水温太高，这是因为＿C＿。

A. 发动机长期工作   B. 发动机转速太高

C. 发动机风扇皮带太松   D. 发动机机油太多

14. 柴油发动机在气缸内发出有节奏的清脆的金属敲击

声，这是因为__A__。

A．喷油时间太早　　　　　B．喷油时间太迟

C．传动齿轮间隙太小　　　D．进气量不足

15．柴油发动机输油泵的供油量比发动机的最大耗油量__A__。

A．大　　B．小　　C．相当　　D．不一定

16．图纸上标明比例 1:50，现量得图纸上长度为 10mm 则实物长度为__D__mm。

A．5　　B．50　　C．100　　D．500

17．蓄电池在正常情况下，电解液面应高出极板顶面__B__mm。

A．5～10　　　　　B．10～15

C．15～20　　　　D．20～25

18．在深沟、基坑作业时，其垂直边一般不得超过__C__m，否则要放出安全坡度。

A．1　　B．1.5　　C．2　　D．3

19．当推土机、铲运机发动机水温达到__B__℃时才允许进行负荷工作。

A．25　　B．45　　C．50　　D．60

20．空气滤清器根据空气中的含灰粒程度不同，滤芯一般在工作__A__小时后清洗一次。

A．50～100　　　　B．100～150

C．150～200　　　B．200～250

21．红旗-100 型汽油发动机，其连续工作时间不得超过__B__min。

A．5　　B．15　　C．25　　D．30

22．发动机冷却系统中的节温器是用来改变冷却水的__

C 和流量以达到自动控制冷却系统的温度。

A．压力　　　　　　　B．流速

C．循环线路　　　　　D．冷却表面

23．发动机因　A　油底机油平面会升高。

A．气缸盖衬垫损坏　　B．发动机水温太高

C．喷油太早　　　　　D．发动机超负荷工作

24．发动机因　B　机油压力会降低。

A．机油粘度太大　　　B．机油粘度太小

C．机油温度太低　　　D．发动机运转不正常

25．发动机因　D　水温会升高。

A．发动机长期工作　　B．风扇皮带太紧

C．喷油时间太早　　　D．风扇皮带太松

26．红旗-100推土机调整主离合器时，反映在操纵杆上的力应在　B　公斤范围内，属正常。

A．5～10　　　　　　B．15～25

C．20～30　　　　　　D．25～35

27．发动机曲轴箱内冒烟，这是因为　B　。

A．气门间隙过小　　　B．活塞与缸套间隙太大

C．润滑油太多　　　　D．燃烧不良

28．红旗-100发动机4146的工作顺序为　D　。

A．1-4-2-3　　　　　B．1-2-4-3

C．1-3-2-4　　　　　C．1-3-4-2

29．液压推土工作装置具有　C　的优点。

A．结构简单　　　　　B．操作方便

C．强制切土　　　　　D．推刀、铲刀升降迅速

30．发动机润滑系统机油压力下降这是因为　B　。

A．润滑油粘度太稠　　B．曲轴轴瓦严重磨损

C. 发动机温度太低　　　D. 发动机转速太高

31. 上海-120 推土机履带张紧度可用直尺放在随动轮和引导轮之间的履带板上则中间履带齿和直尺之间的最大间隙为 __B__ mm 为适宜。

　　A. 5～20　　　　　　　B. 20～30
　　C. 25～40　　　　　　D. 35～50

32. 转向离合器的保养在于 __D__ 。
　　A. 清洗转向离合器摩擦片
　　B. 调整转向离合器弹簧压力
　　C. 调整回位弹簧
　　D. 清洗摩擦片和调整操纵杆行程

33. 柴油机发动后要检查 __A__ 。
　　A. 各仪表读数是否正常
　　B. 风扇皮带紧度是否正常
　　C. 水箱冷却水是否充足
　　D. 发动机油底壳机油平面是否正常

34. 红旗-100 型拖拉机的接地压力不大于 __A__ kg/cm²。
　　A. 0.5　　　B. 1　　　C. 1.5　　　D. 2

35. 保养空气滤清器用压缩空气从内往外吹气, 其压力不得超过 __D__ kg/cm²。
　　A. 1　　　B. 2.5　　　C. 4　　　D. 5

36. 上海-120 推土机发动机运转 __C__ h 后清洗机油滤清器。
　　A. 100　　　B. 150　　　C. 200　　　D. 250

37. 红旗-100 拖拉机离地间隙 __D__ cm。
　　A. 150　　　B. 200　　　C. 300　　　D. 386

38．推土机引导轮是＿B＿。

A．支承推土机工作装置

B．引导履带的方向并依靠张紧机构将履带张紧

C．引导履带的方向，当转向时逼使履带沿地面上滑转

D．将张紧履带，支承推土机重量

39．上海-120 型推土机最大牵引力＿D＿kgf。

A．10000　　B．11600　C．12600　　D．13600

40．上海 120-推土机燃油滤清器外壳底面有一个放油塞，每隔＿B＿h 打开此塞以排除油内水分和杂质沉淀物。

A．50　　　　B．100　　C．150　　D．200

41．上海 120-推土机发动机工作顺序为＿A＿。

A．1-5-3-6-2-4　　　　B．1-3-2-4-5-6

D．1-5-2-4-3-6　　　　C．1-4-2-3-5-6

42．推土机通过液压增力器来进行转向操纵是为了＿B＿。

A．能彻底分离　　　B．减轻司机劳动强度

C．操作方便灵活　　D．减少机件损坏

43．红旗-100-拖拉机最大牵引力为＿B＿kgf。

A．5000　　　B．9000　　C．10000　　D．12000

44．推土机每日作业后＿D＿。

A．检查推土机操作是否灵活

B．发动机工作是否正常

C．清洗柴油、空气滤油器

D．检查各管路接头处有无漏油漏水现象，清除尘土和油垢

45．发动机曲柄机构是＿D＿。

A．旋转机构

B. 消耗功率机构

C. 往复运动机构

D. 发动机实现工作循环完成能量转换的主要机构

46．为防止主离合器摩擦片沾上油污__C__。

A. 旋下飞轮外罩下部的塞子防止废油积聚

B. 定期精洗离合器壳

C. 定期旋下飞轮外罩下部的塞子，放出积聚的废油后再旋上塞子

D. 定期精洗摩擦片

47．红旗-100 拖拉机后退有__B__速。

A.3　　　　B.4　　　　C.5　　　　D.6

48．推土机不宜在__B__以上急转弯。

A. 一速　　B. 二速　　C. 三速　　D. 四速

49．上海-120 推土机启动电动机的电压为__C__V。

A.6　　　　B.12　　　　C.24　　　　D.48

50．上海-120 型推土机接地压力__A__kg/cm²。

A.0.64　　B.0.8　　　C.1.2　　　D.1.5

51．上海-120 型推土机离地间隙__C__mm。

A.100　　　B.200　　　C.300　　　D.400

52．机械行驶时驾驶员__B__。

A. 可以保养或润滑机械　　B. 不得离开机械

C. 可以闲谈　　　　　　　D. 可以带病工作

53．上海-120 型推土机推板回转角度为__C__。

A.10°±1°　B.20°±1°　C.25°±1°　D.35°±1°

54．机械更换润滑油时应放在__D__进行。

A. 上班前进行

B. 休息日进行

C. 保养时进行

D. 机器工作刚完毕、趁油尚热时进行

55. 引导轮座导板侧间隙的调整是 A 。

A. 为保证引导轮中心线与轨距一致

B. 为引导轮转动正常

C. 为承受冲击

D. 为使推土机不跑偏

56. 推土机支重轮是 D 。

A. 将履带张紧

B. 支承推土机的全部重量防止履带下垂过大

C. 沿履轨滑动

D. 支承推土机重量，限制履带、防止横向滑脱

57. 发动机因 A 排气冒蓝烟。

A. 发动机上机油

B. 燃油中有水分

C. 发动机空气滤清器堵塞

D. 柴油发动机喷油时有滴油现象

58. 发动机活塞组是 D 。

A. 承受连杆往复运动的惯性力

B. 承受活塞旋转时的惯性力

C. 控制进入气缸的气体

D. 与气缸套构成工作容积和燃烧室

59. 推土机离合器处于半结合状态不仅降低工作效益，还将造成 A 。

A. 离合器早期磨损或烧坏

B. 损坏变速箱齿轮

C. 损坏中央传动伞齿轮

D. 损坏发动机机件

60. 上海-120 推土机前进有__C__速。

A. 3　　　　B. 4　　　　C. 5　　　　D. 6

61. 交流电循环变化一周，所需要的时间我们称它为__A__。

A. 周期　　B. 频平　　C. 相位　　D. 有效值

62. 内燃机的进气门一般比排气门要大些这是因为__C__。

A. 进气门比排气门受热严重

B. 进气门工作环境较差

C. 使进入气缸的空气充足一点

D. 进气门易散热

63. 东方红-60 型推土机发动机 4125 型工作顺序为__A__。

A. 1-3-4-2　　B. 1-4-3-2　　C. 1-2-4-3　　D. 1-3-2-4

64. 柴油发动机超负荷工作排气冒__B__。

A. 蓝烟　　B. 黑烟　　C. 白烟　　D. 温度升高

65. 内燃机的配气机构是__A__。

A. 按照内燃机各缸的顺序，保证各缸及时吸进新鲜空气和排除废气

B. 承受气体燃烧时产生的气体压力

C. 实现内燃机能量转换的主要机构

D. 控制进入气缸的气体量和排出气缸体的气体量

66. 发动机润滑系统的作用是__C__。

A. 加温、润滑　　　　　B. 贮油、润滑、清洁

C. 清洁、润滑、冷却　　D. 润滑、冷却、预热

67. 机油滤清器是用来__D__。

A. 降低机油温度　　　　　B. 调节机油压力

C. 保证机油供给量　　　　D. 清除机油中的杂物

68. 推土机不得推＿D＿。

A. 砂子　　　B. 石子

C. 煤块　　　D. 石灰、烟灰等粉尘物料

69. 推土机随动轮可以＿C＿。

A. 防止履带下垂过大，引导履带方向

B. 托住履带的上方部分并将履带张紧

C. 减小履带运动时的振跳现象，防止履带侧向滑落

D. 支承推土机重量

70. 东方红推土机启动绳按顺时针方向（由后向前看）绕入飞轮槽内＿B＿圈。

A. 1　　　　　B. 1.5～2　　C. 2.5～3　　D. 3～4

71. 红旗-100 型推土、铲运机发动机型号为＿A＿。

A. 4146A　　B. 4135　　　C. 6146A　　D. 6146

72. 柴油机柴油供给系统的作用是＿B＿。

A. 增大燃油压力，喷油嘴喷油时雾化程度好

B. 按柴油机各缸的工作顺序，保证各缸及时喷入雾化的燃料油

C. 限速发动机的最低转速

D. 润滑发动机各运动件

73. 发动机连杆组是＿B＿。

A. 驱动活塞作往复运动

B. 实现往复运动和旋转运动的转换，并传递动力

C. 密封气缸，防止机油窜入燃烧室

D. 承受燃气压力

74. 发动机冷却水泵主要是用来＿B＿。

A. 控制发动机冷却水的温度

B. 强制冷却水循环流动，带走发动机热量

C. 带动发电机发电

D. 降低发动机转速

75．四行程发动机只有___C___行程才作功，输出动力。

A．进气　　　B．压缩　　　C．燃烧　　　D．排气

76．推土机推土时宜用___B___推土，这样易推平。

A．低速　　　B．中速　　　C．高速　　　D．怠速

77．发动机飞轮的功用是___D___。

A．安装离合器、消耗能量

B．安装变速箱输出动力

C．分离、接合发动机

D．贮存能量、输出动力、启动发动机

78．一个蓄电池一般由三个或六个单格电池组成，每个单格电池的额定电压为___A___V。

A．2　　　　　B．4　　　　　C．6　　　　　D．12

79．我国供应的柴油型号为___A___。

A．0 号、10 号、20 号　　　B．0 号、－10 号、－20 号

C．10 号、0 号、－10 号　　D．20 号、0 号、－20 号

80．汽油发动机可燃烧混合气体是有___D___点燃的。

A．本身自燃　　B．火焰　　C．压缩　　　D．电火花

81．主离合器有拖带现象，则会使___A___。

A．变速箱齿轮难于啮合　　B．发动机发动困难

C．推土机起步困难　　　　D．推土机制动困难

82．接合推土机离合器时要___A___。

A．缓慢　　　B．迅速　　　C．半接合　　D．猛

83．东方红推土机启动机启动时___D___。

56

A．将启动绳绕入飞轮槽内 3 圈以上

B．可以单手连续拉动

C．人必须站在履带板上拉动启动绳

D．禁止将启动拉绳绕在手腕上启动

84．调节发动机水温的装置有＿D＿。

A．节温器、水泵　　　　B．节温器、水箱

C．冷却水道散热器　　　D．保温帘、节温器

85．汽油发动机是＿C＿。

A．进入气缸内的气体是空气由电火花点燃

B．压缩比较大由电火花强制点火

C．进入气缸的气体是空气和汽油的混合气体，由电火花强制点火

D．压缩比较小，由混合气的自燃而燃烧

86．上海-120 推土机发动机型号为＿D＿。

A．4135　　　B．6135g　　　C．4135k　　　D．6135k

87．柴油滤清器的功用是＿C＿。

A．冷却柴油　　　　　B．预热柴油

C．清除杂质、排除水分　D．增加燃油压力

88．柴油发动机进气行程进入气缸内的气体是＿D＿。

A．空气　　　　　　　B．混合气

C．柴油　　　　　　　D．经过滤清的空气

89．推土、铲运机驾驶员＿A＿。

A．必须经过培训经考核合格方可驾驶

B．学习驾驶员可以单独驾驶

C．非正式推土、铲运机驾驶员

D．可以搭乘非操作人员

90．画在视图轮廓之外的剖面称为＿D＿。

A. 重合剖面　　　　　　　B. 局剖视图

C. 剖视图　　　　　　　　D. 移出剖面

91. 内燃机作为动力装置其特点在于　D　。

A. 流动性小，无电源的地区作为动力

B. 重量重，流性大

C. 经济性差、不能迅速发动投入工作

D. 流动性大、经济性好、能迅速发动投入工作

92. 柴油发动机可燃混合气体的燃烧是由　D　点燃的。

A. 火花　　　B. 火焰　　　C. 电火花　　D. 压燃

93. 推土、铲运机在发动柴油机时　B　。

A. 应将前进操纵杆放在空档位置

B. 应将主离合器放在分离位置，变速杆应放在空档

C. 只要变速杆放在空档位置

D. 发动机先启动后再加水

94. 发动机因　C　使发动机冷却水温升高。

A. 发动机长期工作　　　B. 风扇皮带太紧

C. 水箱水量不足　　　　D. 喷油时间太早

95. 发动机空气滤清器机油过多则　D　。

A. 进入气缸的空气充足　B. 排气温度会升高

C. 发动机过热　　　　　D. 排气冒蓝烟

96. 上海-120A 推土机发动机额定功率为　B　马力。

A. 100　　　　B. 120　　　　C. 135　　　　D. 150

97. 推土机中刀刃磨损后　D　。

A. 用一般电焊修补　　　B. 立即更换

C. 继续使用　　　　　　D. 旋转 180°后再使用

98. 钢丝绳在卷扬机上至少保留　C　圈。

A. 1　　　　　B. 3　　　　　C. 5　　　　　D. 6

99. 推土机转向离合器摩擦片有一边打滑则会使机械 __A__。

A. 向该边跑偏　　　　　B. 向另一边跑偏

C. 停止行驶　　　　　　D. 造成伞形齿轮损坏

100. 推土机转向离合器操纵杆有一边没有自由行程，则会使机械 __B__。

A. 停止行驶　　　　　　B. 向该边跑偏

C. 向另一边跑偏　　　　D. 损坏变速箱齿轮

101. 发动机燃油中有水分则 __C__。

A. 使柴油滤清器堵塞　　B. 输油泵供油不正常

C. 排气冒白烟　　　　　D. 排气冒蓝烟

102. 检查发动机油底壳机油平面应在 __D__ 检查。

A. 发动机启动后　　　　B. 每班工作结束后

C. 在工作中　　　　　　D. 将推土机停在平坦地方

103. 柴油发动机因 __A__ 会使发动机油底壳机油平面升高。

A. 气缸盖裂缝渗水　　　B. 风扇皮带太松

C. 水泵叶轮损坏　　　　D. 喷油泵不喷油

104. 红旗-100 型 4146 发动机水温最高不超过 __C__。

A.70℃　　　B.80℃　　　C.90℃　　　D.95℃

105. 推土机横过铁路时 __D__。

A. 可以直接横过

B. 可以转弯

C. 可以斜向横过

D. 铁路上要铺设枕木后才能越过

106. 上海-120 和红旗-100 型推土机不能用拖带的办法来发动柴油机因为 __D__。

A. 易损坏主离合器　　　B. 易损坏分离合器

C. 易损坏传动装置　　　D. 易损坏挠性胶质连接块

107．推土、铲运机　 D 　。

A. 在上坡和下坡时可以换档

B. 在下坡时可以空档滑行

C. 在上坡时可以挂三档四档

D. 在坡道上禁止用制动踏板进行急刹车转向

108．上海-120 推土机转向离合器的自由行程一般调整到　 C 　mm。

A.80±15　　B.100±15　　C.120±15　　D.150±15

109．发动机气门密封不严，会使发动机　 A 　。

A. 排气冒黑烟　　　　　B. 有敲击声

C. 节省燃油　　　　　　D. 排气冒白烟

110．红旗-100 型推土、铲运机发动机的额定功率为　 C 　马力。

A.50　　　　　B.80　　　　　C.100　　　　　D.120

111．推土机、铲运机制动踏板一边没有自由引程会使机械　 B 　。

A. 易损坏离合器　　　　B. 会向该边跑偏

C. 会向另一边跑偏　　　D. 不跑偏

112．上海-120 推土机发动机正常水温不得高于　 C 　℃。

A.70　　　　　B.80　　　　　C.90　　　　　D.100

113．柴油发动机喷油时间太迟，会使机械　 A 　。

A. 排气冒黑烟　　　　　B. 发动机有敲缸声

C. 可以节省燃油　　　　D. 排气冒白烟

114．三角带传递中　 A 　型三角带的截面积最小。

A.O　　　　B.A　　　　C.B　　　　D.C

115．三角带传递中＿D＿型三角带传递的功率最大。

　　A.A　　　　B.B　　　　C.C　　　　D.F

116．当运土距离在＿B＿m 以内，用推土机施工较合适。

　　A.30　　　B.100　　　C.150　　　D.200

117．柴油机发生飞车时应采取＿C＿。

　　A．减少供油量　　　　B．增加负荷

　　C．立即停车　　　　　D．分开离合器

118．普通螺纹的牙型角是＿C＿。

　　A.30°　　　B.45°　　　C.60°　　　D.65°

119．清洗离合器摩擦片时，可以用干净的＿B＿。

　　A．柴油　　　B．煤油　　　C．液压油　　D．水

120．发动机广泛采用的润滑方式为＿C＿。

　　A．压力润滑　　　　　B．飞溅润滑

　　C．综合润滑　　　　　D．强制润滑

121．M24 是表明螺纹＿B＿是 24mm。

　　A．小径　　　B．大径　　　C．中径　　　D．螺距

122．东方红-75 型推土机发动机在连续工作不得超过＿C＿min。

　　A.5　　　　B.10　　　　C.15　　　　D.20

123．画在视图轮廓之内的剖面称＿A＿。

　　A．重合剖面　　　　　B．移出剖面

　　C．装配图　　　　　　D．零件图

124．红旗-100 型推土、铲运机钢丝绳操纵机构其推刀及铲斗是靠＿C＿下坠。

　　A．液压传动　　　　　B．齿轮传动

C. 自重　　　　　　　　D. 机械传动

125. 发动机曲轴飞轮组的功用　B　。

A. 驱动配气机构调节发动机冷却水温度

B. 将连杆传来的气体作用力转为扭矩从而输出动力

C. 承受飞轮旋转运动的惯性力

D. 驱动发动机

(三) 计算题

1. 用截面积 $S = 0.05\text{mm}^2$ 的锰铜丝绕制阻值为 15Ω 的线绕电阻, 在常温条件下锰铜丝的电阻率 $\rho = 0.43 \times 10^{-6}$ $\Omega\text{mm}^2/\text{m}$, 试求需用多长的锰铜丝。

【解】　　　$R = \rho \cdot \dfrac{L}{S}$　　　则 $L = \dfrac{R \cdot S}{\rho}$　　$L =$

$\dfrac{15\Omega \times 0.05\text{mm}^2}{0.43 \times 10^{-6}\Omega\text{mm}^2/\text{m}} = 1744186\text{m}$

答: 需用 1744186m 长的锰铜丝来绕制阻值为 15Ω 的线绕电阻。

2. 把 2 英寸 3 英分英制尺寸换算成公制毫米。

【解】　　$25.4 \times 2 + 3.175 \times 3 = 60.352$

答: 公制为 60.352mm。

3. 已知: 孔为 $\phi 50^{+0.027}$ 与轴为 $50^{-0.010}_{-0.027}$ 相配合, 试求: 孔与轴相配合的最大间隙和最小间隙各是多少?

【解】　　$Y_{\text{max}} = D_{\text{max}} - d_{\text{min}} = 50.027 - 49.973$
　　　　　　　$= 0.054\text{mm}$

　　　　$X_{\text{min}} = D_{\text{min}} - d_{\text{max}} = 50 - 49.99 = 0.01\text{mm}$

答: 最大间隙为 0.054mm, 最小间隙为 0.01mm。

4. 如图示已知电池的电动势 $E = 1.65\text{V}$, 在电池两端接上一个 $R = 5\Omega$ 的电阻, 实测得电阻中电流 $I = 300\text{mA}$。

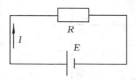

电池的内电阻 r

答：电池两端的电压 $U = 1.5V$，电池的内电阻 $r = 0.5\Omega$。

5．已知：如图示路堤，堤长 650m。试求：完成筑堤共需多少土方。

试求：电池两端的电压 U 和电池内电阻 r 各为多少。

【解】 电池两端的电压 U

$$U = I \cdot R = 0.3 \times 5 = 1.5V$$

$$r = \frac{E - U}{I} = \frac{1.65 - 1.5}{0.3} = 0.5\Omega$$

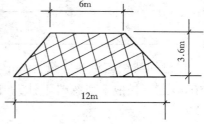

【解】 $(6 \times 3.6 + 3 \times 3.6) \times 650 = 21060m^3$。

答：共需土方 $21060m^3$。

6．有一正方体铸铁件，边长为 1.6m、高为 0.2m、中间钻一直径为 0.3m 的一个圆孔。试求：该铸铁件重多少吨？（注铸铁件的密度为 $7.5t/m^3$）

【解】 $G = (1.6 \times 1.6 \times 0.2 - \frac{\pi}{4} \times 0.3^2 \times 0.2) \times 7.5$

$\qquad = (0.512 - 0.014) \times 7.5$

$\qquad = 3.735t$

答：该铸铁件共重 3.735t。

7．有一山头近似于圆锥体，其尺寸如图。试求：该山头共有多少土方量？

【解】 $V = \frac{\pi r^2 h}{3} = \frac{3.14 \times 25^2 \times 30}{3} = 19625m^3$

答：该山头共有 $19625m^3$。

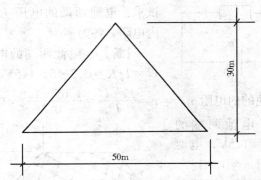

8．已知某铲运机斗容量为 $6m^3$，某土方工程的密度为 $1750kg/m^3$（松散系列忽略不计）。试求：每斗土的质量为多少？

【解】　$\because \rho = \dfrac{m}{v}$

$\therefore m = \rho \cdot v = 1750 \times 6 = 10500kg$

答：每斗土的质量为 10500kg。

9．已知，$6 \times 19 - 12.5 - 170$ 钢丝绳破断拉力总和 9500kg，若安全系数取 6。试求：该钢丝绳的最大许用拉力。

【解】　$F_{许} = \dfrac{s \cdot \varphi}{k} = \dfrac{9500 \times 0.85}{6} = 1345.8kg$

答：该钢丝绳的最大许用拉力为 1345.8kg。

10．通常手电筒的电流是由两节 1.5V 电池串联而成的，电珠的电阻值为 15Ω。试求：手电筒在使用时通过电珠的电流。

【解】　串联电压 $U = 1.5 + 1.5 = 3V$

$$I = \dfrac{U}{R} = \dfrac{3V}{15\Omega} = 0.2A$$

答：通过电珠的电流为 0.2A。

(四) 简答题

1. 上海-120 推土机,推土机操纵杆浮动位置起什么作用?

答：将推土机操作杆放到浮动位置时，推土机将按地面条件自由地上升或下降。

2. 推土机主离合器的作用是什么?

答：推土机主离合器的作用是使推土机在变速、起步或停止时将发动机与变速箱平稳地连接或分离。

3. 推土机变速箱的作用是什么?

答：变速箱的作用是改变推土机的牵引力、行走速度和行驶方向。

4. 在变速机构内连锁装置的作用是什么?

答：在变速机构内连锁装置的作用是消除推土机在主离合器接合时，变速的可能性，以防变速齿轮的损坏。

5. 推土机转向离合器的作用是什么?

答：推土机转向离合器的作用是为了推土机转弯时使用，若要推土机向左转弯，则可分离左边分离合器，即可达到推土机左转弯的目的。

6. 推土机制动器的作用是什么?

答：推土机制动器的作用是使推土机急转弯，或者使推土机停止在斜坡上，当转向离合器分离后使推土机转弯，根据转弯半径的需要还可使用制动器来达到目的。

7. 推土机最终传动装置的功用是什么?

答：推土机最终传动装置的功用是再次降低传动装置的转速并将动力传递给推土机的驱动轮。

8. 推土机行走装置的主要功用是什么?

答：推土机行走装置的主要功用是除了支撑推土机的全部重量外，还把由发动机传到驱动轮上的驱动扭矩变成驱动力、并把驱动轮上的旋转运动变为推土机的行走移动。

9. 推土机行走装置有哪几个部分组成？

答：推土机行走装置一般由两个台车，两条履带总成一个刚性平衡梁及台车联杆装置等组成。

10. 台车是推土机所有机构的支持基础，其主要组件有哪些？

答：主要组成有台车架、张力装置、引导轮、支重轮、随动轮组成。

11. 液压推土工作装置有什么优点？

答：液压推土工作装置不仅具有钢索式推土工作装置的作用，且具有强制切土的优点。

12. 推土机履带的功用是什么？

答：推土机履带的功用是将推土机的重量传给地面，并保证推土机具有足够的驱动力，使支重轮沿着轨链的轨道行驶。

13. 推土机引导轮的功用有哪些？

答：（1）推土机引导轮安装在台车架前部的左、右支撑上，用以引导履带的方向。（2）依靠张力机构将履带张紧。

14. 推土机随动轮（托轮）的功用是什么？

答：推土机随动轮的功用：（1）是用来托住履带的上方部分，防止履带下垂过大，减少履带运动时的振动现象；（2）防止履带侧向滑落。

15. 推土机支重轮的功用是什么？

答：推土机支重轮的功用：（1）是支撑推土机的重量，并沿履带轨滚动；（2）还可以用来限制履带，防止横向滑脱；（3）当推土机转向时支重轮迫使履带沿地面上滑移，达到转向的目的。

16. 推土机跑偏的原因及排除方法？

答：推土机跑偏的原因有：

（1）该边转向离合器摩擦片有油污；（2）该边转向离合器摩擦片磨损失效；（3）该边转向离合器弹簧失效或折断；（4）该边转向离合器操纵杆没有自由行程；（5）该边转向操纵杆与橡皮缓冲垫间有杂物；（6）后桥箱中传动轴断裂或制动鼓联结螺栓折断。

排除方法：（1）清洗摩擦片；（2）更换摩擦片；（3）更换弹簧；（4）调整自由行程；（5）清除杂物；（6）更换传动轴或螺栓。

17. 主离合器有拖带现象的原因及排除方法？

答：主离合器有拖带现象的原因有：（1）摩擦片翘曲或损坏；（2）离合器制动摩擦片磨损；（3）离合器制动摩擦片染有油污。

排除方法：（1）更换摩擦片；（2）更换制动器摩擦片；（3）清洗制动摩擦片。

18. 推土机主离合器打滑的原因及排除的方法？

答：推土机主离合器打滑的原因是：（1）摩擦片渍油；（2）主离合器调整不当；（3）摩擦片过度磨损。

排除方法：（1）清洗摩擦片；（2）重新调整到压紧不止；（3）更换摩擦片。

19. 推土机每日作业后要做哪些工作？

答：（1）要清除粘在车体上的油污和泥土等；（2）要把液压缸的活塞杆表面的水擦净；（3）打开柴油箱放水开关，放出油箱中的积水；（4）在 0℃ 以下的气候里冷却水中如没有防冻液，应将冷却水放尽，以防夜间冻结；（5）推土机停放在平整，结实、无积水处。

20．推土机每班操作前应检查哪些工作？

答：（1）各润滑点按规定进行加油或注射润滑脂；（2）油管接头液压油路及胶管等是否有漏油现象；（3）检查排气管，空气滤清器、履带板、支重轮、卷扬机、各种座盖等的螺栓螺母是否有松动现象；（4）检查油箱、液压油箱及发动机油底壳的油面；（5）发动机工作是否正常，各仪表读数是否正常；（6）离合器、变速机构、转向离合器、制动器燃油控制杆及推土板升降等操作是否灵活正常。

21．转向操纵杆分离时，推土机不转弯的原因及排除方法？

答：不转弯的原因有：（1）转向离合器操纵杆的可调顶杆调整不当；（2）分离机构调整不当。

排除方法：（1）重新调整；（2）调整分离机构的球面螺母。

22．制动器打滑的原因及排除方法？

答：制动器打滑的原因有：（1）制动器摩擦片染有油污；（2）摩擦片磨损，露出铆钉头；（3）调整不良；（4）转向离合器不能拉离。

排除方法：（1）清洗或更换摩擦片；（2）更换摩擦片；（3）重新调整；（4）调整转向离合器或加以修理

23．蓄电池的使用和维护有何要求？

答：蓄电池的使用和维护不当，会造成极板"硫化"，所以必须经常进行保养和检查：（1）检查透气孔是否通畅；（2）检查电解液的液面和密度浓度是否正常；（3）擦净电瓶桩头上的氧化物；（4）紧固蓄电池桩头上的连接螺栓；（5）平时应经常进行充电。

24．柴油发动机一般有哪几个部分组成？

答：有曲柄连杆机构、配气机构、燃油供给系统、润滑系统冷却系统、及启动装置等部分组成。

25.135 系列发动机风扇三角皮带的张紧力如何调整？

答：三角皮带的松紧是由发电机调节支架位置来调整的，在水泵及发电机的三角皮带用力 3～5kg 压力，若皮带能压下 10～20mm 为正常。

26.风扇皮带太紧太松有什么危害？

答：风扇皮带太紧会引起轴承磨损过剧，风扇皮带易损坏。

风扇皮带太松了风扇风量即会降低，水温会升高，甚至会沸腾。

27.推土机有哪些部分组成？

答：推土机主要部分有发动机、离合器变速箱、中央传动、转向离合器，最终传动装置，行走装置、液压操纵系统和工作装置等部分组成。

28.什么是正弦交流电？

答：交流电的大小和方向，随时间按正弦规律变化的交流电称正弦交流电。

29.什么叫欧姆定律？写出电流电压电阻之间的关系？

答：通过电路的电流强度和加在电路两端的电压大小成正比和电路本身的电阻大小成反比。

$I = \dfrac{U}{R}$ 其中 U 单位为伏特，R 单位为欧姆，则 I 单位为安培

由公式 $I = \dfrac{U}{R}$ 可转换为 $U = IR$、$R = \dfrac{U}{I}$

30.简述发动机的工作原理？

答：发动机的工作过程包括进气压缩燃烧排气四个

行程：

进气行程：排气门关闭，进气门开启，活塞从上止点向下止点下行，新鲜空气进入气缸内（汽油机为汽油与空气的混合气体）。

压缩行程：进排气门关闭活塞从下止点向上止点上行，空气压缩温度升高。燃烧行程：进排气门关闭活塞从上止点向下止点下行，柴油喷入气缸内靠柴油自燃燃烧（汽油发动机用电火花强制点火燃烧）膨胀作功。

排气行程：进气门关闭、排气门开启活塞从下止点向上止点上行，把燃烧后的废气排出气缸外。

这样发动机就完成一个工作循环，反复不断地进行下去，发动机就连续工作。

实际操作部分

1. 题目：轻质土壤场地的平整（运土距离在100m以内）

考核项目及评分标准

序号	考核项目	评 分 标 准	满分	检测点					得分
				1	2	3	4	5	
1	机械选择	运土距离在100m以内用推土机平整	5						
2	操作顺序	操作顺序正确：先平整高差较大的地方配合测量按标高先整平一小块从该小块开始逐刀顺序推平	20						
3	场地平整度	场地平整度符合施工技术要求水平标高允许±15cm	30						
4	场外区域	场外无土壤堆积、不被破坏	10						

序号	考核项目	评 分 标 准	满分	检测点					得分
				1	2	3	4	5	
5	机械停置	机械停置点选择正确	5						
6	文明施工	不浪费油材料,工完场清机清	10						
7	安全生产	重大事故不合格,小事故扣分	10						
8	工效	根据项目,按劳动定额进行低于 90% 本项无分在 90%~100% 之间酌情扣分超过定额的酌情加分	10						

注:水平标高检查点的要求

项次	项 目	水 平 标 高 检 测 点
1	场地平整	$10\times10\sim20\times20m^2$ 取一点,总数不小于 10 点
2	基 坑	$20m^2$ 取 5 点,每个基坑不少于 2 点
3	基槽和管沟	20m 取一点,总数不少于 2 点
4	路 堤	20m 取一组(2 点)总数不少于 5 组
5	其他挖填方	$30\sim50m^2$ 取一点,总数不少于 5 点

2.题目:轻质土壤场地的平整(运土距离在 100m 以外)

考核项目及评分标准

序号	考核项目	评 分 标 准	满分	检测点					得分
				1	2	3	4	5	
1	机械选择	机械选择正确 运距在 80~800m 用拖式铲运机超过 800m 以上用自行式铲运机	5						

序号	考核项目	评 分 标 准	满分	检测点					得分
				1	2	3	4	5	
2	操作顺序	操作顺序正确 先挖填高差大的地段施工，后平整一条标准带逐步向外扩展	20						
3	场地平整度	场地平整度符合施工技术要求水平标高允许±15cm	30						
4	场外区域	场外无土壤堆积，不被破坏	10						
5	机械停置	机械停置点选择正确	5						
6	文明施工	不浪费燃油，工完场清机清	10						
7	安全生产	重大事故不合格，小事故扣分	10						
8	工效	根据项目，按劳动定额进行低于90%本项无分在90%～100%之间酌情扣分超过定额的酌情加分	10						

注：水平标高检查点的要求

项次	项　　目	水 平 标 高 检 测 点
1	场地平整	$10×10～20×20m^2$取一点，总数不小于10点
2	基　坑	$20m^2$取5点，每个基坑不少于2点
3	基槽和管沟	20m取一点，总数不少于2点
4	路　堤	20m取一组（2点）总数不少于5组
5	其他挖填方	$30～50m^2$取一点，总数不少于5点

3．题目：推基坑（槽）和管沟（深度不大于3m）

考核项目及评分标准

序号	考核项目	评 分 标 准	满分	检测点					得分
				1	2	3	4	5	
1	机械选择	机械选择正确 长度较短，深度在3m以内、土运至两端可采用推土机	5						
2	操作顺序	操作顺序正确 推土时先推近处，远处堆土推远处，近处堆土也可重复两次推土	20						
3	基坑	推基坑符合施工要求，从中心线往两边偏差±15cm，水平标高偏差±15cm	30						
4	堆（卸）土	按施工要求堆土	10						
5	机械停置	机械停置点选择正确	5						
6	文明施工	不浪费油材料，工完场清机清	10						
7	安全生产	重大事故不合格，小事故扣分	10						
8	工效	根据项目，按劳动定额进行低于90%本项无分在90%～100%之间酌情扣分超过定额的酌情加分	10						

注：水平标高检查点的要求

项次	项 目	水 平 标 高 检 测 点
1	场地平整	$10×10～20×20m^2$ 取一点，总数不小于10点
2	基 坑	$20m^2$ 取5点，每个基坑不少于2点
3	基槽和管沟	$20m$ 取一点，总数不少于2点
4	路 堤	$20m$ 取一组（2点）总数不少于5组
5	其他挖填方	$30～50m^2$ 取一点，总数不少于5点

73

4．题目：挖掘基坑（槽）和管沟（深度大于 3m）

考核项目及评分标准

序号	考核项目	评 分 标 准	满分	检测点 1	2	3	4	5	得分
1	机械选择	机械选择正确 深度大于3m以上宽度4m以上长度较长可以用铲运机施工	5						
2	操作顺序	操作顺序正确：挖掘时先挖掘近处，远处卸土后挖掘远处，近处卸土也可重复挖掘两次以上	10						
3	坡道选择（上下坡道）	可采用外坡道或内坡道中间坡道	10						
4	基坑	挖掘基坑符合施工要求从中心线往两边偏差±15cm水平标高±15cm	30						
5	堆(卸)土	按施工要求堆(卸)土	10						
6	机械停置	机械停置点选择正确	5						
7	文明施工	不浪费材料工完场清机清	10						
8	安全生产	重大事故不合格，小事故扣分	10						
9	工效	根据项目，按劳动定额进行低于90%本项无分在90%～100%之间酌情扣分超过定额的酌情加分	10						

74

注：水平标高检查点的要求

项次	项　　目	水　平　标　高　检　测　点
1	场地平整	$10 \times 10 \sim 20 \times 20 m^2$ 取一点，总数不小于 10 点
2	基　坑	$20 m^2$ 取 5 点，每个基坑不少于 2 点
3	基槽和管沟	20m 取一点，总数不少于 2 点
4	路　堤	20m 取一组（2 点）总数不少于 5 组
5	其他挖填方	$30 \sim 50 m^2$ 取一点，总数不少于 5 点

5．题目：填筑路堤（高度在 1.5m 以下）

考核项目及评分标准

序号	考核项目	评　分　标　准	满分	检测点 1	2	3	4	5	得分
1	机械选择	机械选择正确：路堤高度在 1.5m 以内运土距离又较近可用推土机	5						
2	操作顺序	操作顺序正确 取土从路堤一侧或两侧取土，若高度超过 1.5m 则可采取多台推土机运作	20						
3	路堤尺寸	符合施工要求：从中心线往两边偏差 ±20cm 水平标高偏差 ±20cm	30						
4	堤外区域	取土场地符合施工要求	10						
5	机械停置	机械停置点选择正确	5						
6	文明施工	不浪费油材料，工完场清机清	10						
7	安全生产	重大事故不合格，小事故扣分	10						
8	工效	根据项目，按劳动定额进行低于 90% 本项无分在 90%～100% 之间酌情扣分超过定额的酌情加分	10						

注：水平标高检查点的要求

项次	项 目	水 平 标 高 检 测 点
1	场地平整	$10×10～20×20m^2$ 取一点，总数不小于 10 点
2	基 坑	$20m^2$ 取 5 点，每个基坑不少于 2 点
3	基槽和管沟	20m 取一点，总数不少于 2 点
4	路 堤	20m 取一组（2 点）总数不少于 5 组
5	其他挖填方	$30～50m^2$ 取一点，总数不少于 5 点

6. 题目：气门间隙的调整
考核项目及评分标准

序号	考核项目	评 分 标 准	满分	检测点					得分
				1	2	3	4	5	
1	工具使用	工具使用合理	15						
2	调整方法	调整、顺序正确	15						
3	调整要求	间隙调整符合规定螺栓螺母扭紧度符合规定，间隙调整不准无分	20						
4	文明施工	不损坏、丢失配件、零件，工完场清	20						
5	安全生产	重大事故不合格，小事故扣分	15						
6	工效	根据项目，按劳动定额进行低于 90% 本项无分在 90%～100% 之间酌情扣分超过定额的酌情加分	15						

7. 题目：柴油发动机供油系统故障的排除
考核项目及评分标准

序号	考核项目	评 分 标 准	满分	检测点					得分
				1	2	3	4	5	
1	故障判断	故障判断正确	15						

76

序号	考核项目	评分标准	满分	检测点					得分
				1	2	3	4	5	
2	工具使用	工具使用合理	15						
3	故障排除方法	故障排除方法、顺序正确	15						
4	排除要求	故障排除正确，未排除不合格、安装正确螺栓螺母扭紧度符合规定	20						
5	文明施工	不损坏、丢失零配件，工完场清、工具清	15						
6	安全生产	重大事故不合格，小事故扣分	10						
7	工效	根据项目，按劳动定额进行低于90%本项无分在90%～100%之间酌情扣分超过定额的酌情加分	10						

第二章 中级推土机（铲运机）驾驶员

理论部分

（一）是非题（对的打"√"，错的打"×"，答案写在每题括号内）

1．推土、铲运机离合器摩擦片有油污打滑时要进行清洗，最好在工作后进行清洗。 （√）

2．调整推土机推土刀、切土角度时可以将撑杆其中一根伸长或缩短。 （×）

3．推土机新的中刀刃磨损后、即要进行更换。 （×）

4．当推土机在陡坡或牵引重载下坡时，若要转弯，则转向离合器操纵杆与正常操纵相反。 （√）

5．上海-120、红旗-100 推土机铲运机主离合器小制动片磨损，会使变速齿轮难于啮合。 （√）

6．推土机向深沟悬崖边缘推土时，推刀可以推出边缘。
（×）

7．推土机向深沟悬崖边缘推土时，应先换好倒车挡先起步后提升推刀。 （√）

8．推土铲运机在Ⅰ-Ⅱ级土壤施工时应先进行爆破或用松土器松土。 （×）

9．推土、铲运机土方施工宜在Ⅰ-Ⅳ级自然土壤的场所作业。 （√）

10．推土、铲运机组施工时上坡车应让下坡车。 （×）

11．推土、铲运机转向离合器操纵杆自由行程过小会使转向失灵。 （×）

12．铲运机可以在陡坡上前进和倒车。 （×）

13．推土机在超过 30°坡度作业时，不允许横向推土。
（×）

14．推土、铲运机在踩下制动踏板有强烈的抖动，这是因为制动器摩擦片打滑。（√）

15．推土、铲运机离合器，必须调整到在全负荷下推土不打滑即可。（√）

16．自行式铲运机实习驾驶员如有违反交通规则或发生事故、监督员没有责任。（×）

17．铲运机转弯时，禁止把钢索收到底。（√）

18．摩擦片翘曲会造成离合器有拖带现象。（√）

19．东方红 4125 发动机曲轴旋转方向（面向飞轮端）为逆时针方向。（×）

20．自然状态的土壤一般分为Ⅳ类，Ⅰ、Ⅱ类土为坚硬土。（×）

21．发动机经过机油精滤器的机油直接供给发动机各部分进行润滑。（×）

22．上海-120 和红旗-100 推土机铲运机发动机冷却系统是风冷式。（×）

23．上海-120 推土机发动机每个气门上装有螺旋方向相反的两个大小不等的弹簧。（√）

24．推土、铲运机在陡坡上纵向行驶时可以拐死弯。
（×）

25．红旗-100 推土、铲运机绞盘钢丝绳如有扭结必须事前加以整理。（√）

26．上海-120 推土机发动机曲轴颈与滚柱轴承内圈孔是过渡配合。（×）

27．推土、铲运机主离合器摩擦片沾油打滑时，机械会

跑偏。 （×）

28．推土机发生陷车时，可以用另一台推土机的刀片在前后推顶。 （×）

29．发动机机油粘度太稠，会引起机油压力降低。（×）

30．当发动机不工作或主离合器分离后，分离合器操纵杆仍有作用。 （√）

31．推土、铲运机在转向时，只要踩下制动板踏板。 （×）

32．汽油发动机点火时间活塞在上止点后，迟后点火。 （×）

33．发动机进气行程在活塞到达上止点前一定角度进气门提前开启。 （√）

34．发动机进气行程在活塞到达下止点前一定角度，进气门就关闭。 （×）

35：自行式铲运机，在行驶时，支线车应让干线车。 （√）

36．推土、铲动机在深沟基坑作业时，其垂直边坡深度超过 2m 时要放出安全坡度。 （√）

37．上海-120 型推土机、推土板回转角度为 15°±1°。 （×）

38．图样上的比例标注为 1∶100 则图纸上量得 15mm 则该实物实际尺寸为 150mm。 （×）

39．发动机气缸盖衬垫损坏，使压缩比缩小。 （√）

40．柴油发动机喷油时间活塞在上止点前一定角度就提前喷油。 （√）

41．图样上标注一个完整的尺寸应包括尺寸界线，尺寸线和尺寸数字。 （√）

42．我们规定负电荷的移动方向为电流的方向。　（×）

43．表示粗糙度在基本符号上加一短划则表示该表面粗糙度是用去除材料的方法获得的。　（√）

44．发动机排气行程，在活塞到达下止点前一定角度就排气门提前开启。　（√）

45．发动机排气行程，在活塞到达上止点前一定角度，排气门就关闭。　（×）

46．规定流入电流负载的一端其电压为正、反之为负。　（√）

47．铲动机可以在陡坡上转弯。　（×）

48．电源是向外提供机械能的装置。　（×）

49．用轮廓算术平均偏差（R_a）表示粗糙度，在标注时，可省略 R_a 符号。　（√）

50．符号对称度是形状公差。　（×）

51．测量电流的方法是把电流表和被测电路串联起来。　（√）

52．推土机在 Ⅲ-Ⅳ 级土壤地带作业时应进行爆坡或用松土器疏松。　（×）

53．串联电路的总电阻等于各电阻阻值之和。　（√）

54．并联电路的总电阻等于各分路电阻倒数之和。（√）

55．上海-120 推土机发动机在带负荷运转时，排气烟色一般为淡灰色。　（√）

56．发动机水管中漏入空气会形成气塞，则发动机出水温度会过低。　（×）

57．发动机排气冒黑烟，表示发动机燃烧室内进入机油。　（×）

58．发动机排气冒蓝烟，表示发动机燃烧室内进入机

油。   （✓）

59. 柴油发动机排气冒白烟，表示柴油油雾滴在燃烧室内未能着火燃烧。   （✓）

60. 发动机气缸套内壁用来引导活塞作往复直线运动，不承受高温气体。   （×）

61. 发动机干式气缸套比湿式气缸套的冷却效果好。
                                                       （×）

62. 发动机水泵叶轮损坏，会使发动机冷却水温升高。
                                                       （✓）

63. 上海-120 推土机发动机，机油压力过高或过低，可以通过调压阀来调整。   （✓）

64. 上海-120 推土机发动机，机油滤清器有旁通阀，机油压力过低时，可以通过调整旁通阀来调整机油压力。（×）

65. 发动机活塞裙部一般加工成椭圆度。   （✓）

66. 并联电路的总电流等于各分路中的电流之和。（✓）

67. 液压推土操纵杆的浮动位置，主要是为了便利操作。   （×）

68. 推土、铲运机在下坡坡度较大时左转弯时，拉右边转向离合器操纵杆。   （✓）

69. 串联电路中通过各电阻的电流强度相等。   （✓）

70. 推土、铲运机发动机发动后，应试验离合器，刹车绞盘和油压操作系统的各部分作用是否灵活可靠。   （✓）

71. 风冷发动机的气缸体与曲轴箱是分开铸造的。（✓）

72. 发动机气缸垫具有一定的弹性，以补偿接合面的不平度，保证密封。   （✓）

73. 柴油发动机活塞所承受的气体压力比汽油机小。
                                                       （×）

74．在安装发动机不等螺距的气门弹簧时螺距大的一端靠向气缸体。 （×）

75．推土、铲运机离合器摩擦片翘曲，会引起离合器有拖带现象。 （√）

76．串联电路的总电路两端的总电压、等于各电阻两端电压之和。 （√）

77．并联电路中，任何一个电阻两端的电压相等。（√）

78．推土机推土板操纵杆在浮动位置时，推土板按地面条件不能自由地上升或下降。 （×）

79．上海-120 红旗-100 推土、铲运机主离合器的制动盘，可使变速箱上轴制动使其迅速停止转动，以便进行变速换档。 （√）

80．轮胎式推土机的机动性能好，牵引力比履带式推土机高。 （×）

81．发动机气门间隙过小或没有，会使气门关闭不严甚至烧坏气门。 （√）

82．推土机切削土壤的刀刃，要求有耐磨性和便于更换。 （√）

83．履带式推土机接地比压较轮胎式接地比压高。（×）

84．发动机冷却水循环不良，会使发动机水温降低。 （×）

85．推土机推土刀架可调节成斜铲、主要用于将土让推向一侧的工况。 （√）

86．上海-120、红旗-100 推土铲运机的挠性连接块，起着弹性联轴节的作用。 （√）

87．推土、铲运机离合器摩擦片沾油时可以用柴油来清洗。 （×）

88．钢丝绳穿用的滑轮，其边缘不应有破裂和缺口。

（ ✓ ）

89．推土机推土铲可根据不同作业的需要，可调节成斜铲、侧铲或改变切削角度。（ ✓ ）

90．主动齿轮转速与被动齿轮转速之比称为传动比。

（ ✓ ）

91．斜齿轮传动一般具有自锁作用。（ × ）

92．胶带传动平稳性好，准确可靠，传动比固定不变。

（ × ）

93．胶带弯曲愈厉害，产生的弯曲应力也愈大。（ ✓ ）

94．钢丝绳断股后，可以电焊联结后继续使用。（ × ）

95．液压系统中用来改变工作机构运动速度的是流量控制阀。（ ✓ ）

96．钢件淬火的目的是提高钢件的硬度和强度。（ ✓ ）

97．钢件调质的目的是为了使钢件获得很高的韧性和足够的强度。（ ✓ ）

98．推土机液压系统中为防止油泵过载，在油泵的压力油路中装有单向阀。（ × ）

99．小带轮胶带横截面上的应力小于大带轮胶带横截面上的弯曲应力。（ × ）

100．液力耦合器和液力变矩器是利用液体为工作介质来传递动力。（ ✓ ）

101．花键齿形有矩形，三角形及渐开线齿形等三种。

（ ✓ ）

102．键是非标准零件。（ × ）

103．导向键可以使零件沿轴向移动。（ ✓ ）

104．推土、铲运机液压系统中，为了确保在滤油器被

塞时，不致影响液压系统工作，与滤油器串联装有一个滤油安全阀。 （×）

105．推土机、铲运机组施工时，下坡车应让上坡车。
（✓）

106．推土机、铲运机在埂路上引驶，可以用Ⅳ、Ⅴ速行驶。 （×）

107．上海-120推土机6135发动机，连杆小头轴衬与连杆小头孔是过渡配合。 （×）

108．上海-120推土机6135发动机，活塞销与活塞孔的配合是过渡配合。 （✓）

109．上海-120推土机6135发动机，机油滤清器分粗滤油和精滤油。 （✓）

110．上海-120推土机发动机采用两只动机电瓶，应该并联使用，电压为24V。 （×）

111．经过精滤器的机油，直接回到发动机的油底壳内。
（✓）

112．二冲程发动机，曲轴旋转两周，发动机作一次功。
（×）

113．四冲程发动机，曲轴旋转四周，发动机作一次功。
（×）

114．二冲程发动机作功频率比四冲程发动机高。 （✓）

115．发动机气门间隙过大，会使发动机充气足。 （×）

116．测量电路的电压时，把电压表和被测电阻串联起来。 （×）

117．机用发动机的启动采用交流电动机。 （×）

118．我国柴油机发动机所用的是轻柴油。 （✓）

119．柴油机混合气的形成和燃烧都是在燃烧室内进行

的。   （✓）

120．柴油发动机喷油嘴喷油在活塞到达止点前某角度时才喷油，称为喷油（供油）提前角。   （✓）

121．三相交流电源端线与中线之间的电压称为级电压。
（✕）

122．三相交流电源端线与端线之间的电压称为相电压。
（✕）

123．闭合电路中，电源内电阻越大，负载电压越小。
（✓）

124．串联电路的总电阻比每一个电阻都小。   （✕）

125．发动机一般用硅整流发电机来发电，使机械用电和电瓶充电。   （✓）

（二）选择题（把正确答案的序号填在每题横线上）

1．当运土距离在 __D__ m 范围内用拖式铲运机较合适。

A．20～150   B．40～300   C．60～600   D．80～800

2．上海-120 型推土机履带中心距为 __C__ mm。

A．880   B．1500   C．1880   D．2000

3．推土机挠性胶质连接块经常断裂的原因 __B__ 。

A．发动机转速太高

B．发动机与主离合器不同心或歪斜

C．主离合器接合力太大

D．操纵机构调整不当

4．天然状态的土壤通常可以直接用土方机械进行施工的，可分为 __A__ 类。

A．4   B．7   C．9   D．11

5．清洗离合器摩擦片时可以用干净的 __B__ 。

A．柴油   B．汽油   C．液压油   D．水

6. 推土机中刀刃磨损后__D__。

A. 用一般电焊修补　　　B. 立即更换

C. 继续使用　　　　　　D. 旋转180°再使用。

7. 在更换推土机铲运机挠性连接块时__C__。

A. 更换损坏的一块　　　B. 成对更换

C. 全套更换　　　　　　与连接销一起更换

8. 主离合器有拖带现象则会使__A__。

A. 变速箱齿轮难于啮合　B. 发动机难于发动

C. 推土机起步困难　　　D. 推土机制动时困难

9. 推土机在行驶中，当拉动一边的转向离合器操纵杆机械停止这是因为__D__。

A. 主离合器打滑　　　　B. 制动器间隙太大

C. 该边转向离合器打滑　D. 另一边转向离合器打滑

10. 在三相四线制供电系统，中性线的连接必须可靠，并且__B__。

A. 要装熔断丝　　　　　B. 不允许装熔断丝

C. 要装开关　　　　　　D. 要装变阻器

11. 发动机曲轴箱内冒烟，这是因为__B__。

A. 气门间隙过小　　　　B. 活塞与气缸间隙过大

C. 润滑油太多　　　　　D. 燃烧不良

12. 柴油发动机气缸发出有节奏的清脆的金属敲击声这是因为__A__。

A. 喷油时间太早　　　　B. 喷油时间太迟

C. 传动齿轮间隙太大　　D. 气门间隙太小

13. 两台以上推土机在同一地区作业时前后距离大于__C__m。

A. 2　　　　B. 5　　　　C. 8　　　　D. 15

14. 用于加工和检验零件的图样是__C__。

A. 立体图　B. 装配图　C. 零件图　D. 剖面图

15. 135 发动机缸径为__B__mm。

A.120　　　B.135　　　C.144　　　D.150

16. 当零件所有表面只有相同粗糙度时可以在图上__D__统一标注。

A. 左上角　B. 右下角　C. 左下角　D. 右上角

17. 柴油发动机排气冒黑烟这是因为__B__。

A. 发动机水温太高　　　B. 喷油时间太迟

C. 柴油中有水分　　　　D. 输油泵供油量不足

18. 柴油发动机因__C__油底壳机油平面会升高。

A. 喷油时间太早　　　B. 喷油时间太迟

C. 喷油嘴喷油时滴油　　D. 发动机水温太高

19. 含碳量为__C__的碳素钢为低碳钢。

A.<0.01%　B.<0.1%　C.<0.25%　D.<1%

20. 主视图与俯视图有__A__关系。

A. 等长　　B. 等宽　　C. 等高　　D. 对称

21. 合金元素总含量__B__的合金钢称为低合金钢。

A.<1%　　B.<5%　　C.<10%　　D.<15%

22. 具有间隙（包括最小间隙等于零）的配合称为__A__。

A. 间隙配合　　　　　　B. 公差配合

C. 过渡配合　　　　　　D. 过盈配合

23. 主视图与侧视图有__D__关系。

A. 对称　　B. 等长　　C. 等宽　　D. 等高

24. 未拉动转向离合器操纵杆推土机跑偏这是因为__B__。

A．主离合器摩擦打滑

B．该边转向离合器摩擦片打滑

C．另一边制动器调整不当

D．推土机推土刀板调节成侧铲

25.20 号优质碳素结构钢表示含碳在　B　左右。

A.0.10%　　B.0.20%　　C.0.30%　　D.0.45%

26．拉动转向离合器操纵杆，踩下该制动踏板，推土机不能急转弯这是因为　C　。

A．变速箱连锁装置失灵

B．该边履带太紧

C．该边分离机构调整不当

D．另一边制动器摩擦片磨损

27．碳素钢中的　D　元素为有害元素。

A．硅　　　　B．锰　　　　C．碳　　　　D．硫

28．用于将零件装配在一起的图样为　B　。

A．主视图　B．装配图　C．零件图　D．立体图

29．摩擦片式离合器是依靠　A　来传递动力。

A．摩擦力　B．拉力　　C．压力　　　D．键

30．含碳量为　B　的碳素钢为中碳钢。

A.0.1%～0.25%　　　　　B.0.25%～0.6%

C.0.6%～1%　　　　　　D.1%～2%

31．为使主离合器主动盘转动时，可以用　D　。

A．用撬棒撬挠性连接块　B．用撬棒撬变速箱

C．用撬棒撬离合器压盘　D．转动发动机

32．合金元素总含量在　B　的合金钢为中合金钢。

A.1%～5%　　　　　　　B.5%～10%

C.10%～15%　　　　　　D.10%～20%

33.40 号铬钢（40Cr）含碳量在__A__。

A.0.40%   B.0.30%   C.0.20%   D.0.10%

34. 当发现离合器摩擦片沾油打滑时可以先__C__。

A. 更换摩擦片   B. 调整摩擦片间隙

C. 停机清洗   D. 保养修理

35. 皮带轮传动比等于__B__。

A. $i_{12} = \dfrac{n_2}{n_1} = \dfrac{D_2}{D_1}$ B. $i_{12} = \dfrac{n_1}{n_2} = \dfrac{D_2}{D_1}$

C. $i_{12} = \dfrac{n_1}{n_2} = \dfrac{D_1}{D_2}$ D. $i_{12} = \dfrac{n_2}{n_1} = \dfrac{D_1}{D_2}$

36. 三角带是利用__D__的摩擦力来传递动力的。

A. 底面与带轮   B. 一侧面与带轮

C. 背面与带轮   D. 两侧面与带轮

37. 推土机的履带张紧装置，同时也是__A__装置。

A. 缓冲   B. 支撑   C. 导向   D. 悬挂

38. 推土、铲运机离合器摩擦片磨损时先__D__。

A. 必须更换摩擦片   B. 用汽油清洗摩擦片

C. 调整制动带间隙   D. 关闭发动机，进行调整

39. 推土机转向离合器是用来__D__的机构。

A. 行走   B. 推土   C. 变速   D. 转向

40. 推土、铲运机变速机构的连锁装置__B__。

A. 便于推土机行驶时改变速度

B. 消除在主离合器接合时变速的可能性

C. 减轻齿损程度

D. 防止在变速时齿轮撞击

41. 带轮直径越小__B__。

A. 三角带使用寿命越长

B. 三角带使用寿命越短

C. 三角带有利于传动

D. 三角带曲率半径越大

42. 调整推土、铲运机主离合器时___A___。

A. 仅须调整到在全负荷下推土时不打滑

B. 在行驶中不打滑

C. 需要双手扳动操纵杆才能离合器接合

D. 接合离合器时拉动操纵杆有越过死点的感觉

43. 两相互啮合的齿轮其模数___C___。

A. 大齿轮模数比小齿轮大

B. 大齿轮模数比小齿轮小

C. 两齿轮的模数相同

D. 可以任意选择

44. ___B___传动用于传递平行轴间的运动。

A. 圆锥齿轮　　　　　　B. 圆柱齿轮

C. 蜗轮蜗杆　　　　　　D. 键

45. 发动机水温过热这是因为___D___。

A. 发动机长期工作　　　B. 发动机转速太高

C. 机油压力过高　　　　D. 发动机风扇皮带太松

46. 上海-120A 型推土机最终传动装置的驱动轮为分块式的共有___C___齿块。

A. 2 个　　　B. 5 个　　　C. 9 个　　　D. 11 个

47. 在调整制动器时要必须注意___D___。

A. 回位弹簧的调整

B. 放出油污

C. 清洗制动器

D. 在放松制动器踏板时，制动带不应触及制动鼓

48．铲运机在坡度上横向行驶时，其坡宽应大于__C__m以上。

A．0.5　　　B．1　　　C．2　　　D．4

49．铲运机在新填筑的土堤上作业时离高坡边缘不得少于__B__m。

A．0.5　　　B．1　　　C．1.5　　　D．2

50．自行式铲运机在夜间作业时大灯应照出__B__m以上。

A．15　　　B．30　　　C．45　　　D．60

51．发动机空气滤清器纸质滤芯被油沾污或沾湿时__D__。

A．可以提高滤清程度

B．增加进气量提高发动机功率

C．减少进气量，使发动机温度升高

D．极易沾染灰尘、阻塞滤芯，发动机功率下降

52．风冷发动机有__A__优点。

A．冬天没有冻裂的危险

B．工作时噪声

C．启动辅助时间长

D．消耗功率小

53.45号优质碳素钢是__C__。

A．合金钢　B．低碳钢　C．中碳钢　D．高碳钢

54．红旗-100推土机发动机4146其缸径是__C__mm。

A．120　　　B．140　　　C．146　　　D．416

55.135系列发动机曲轴为__A__式。

A．组合　　B．整体式　D．两段连接　D．锻造

56．自行式铲运机在夜间作业时，如遇对方来车，应在

D 　m以外将大光灯改为小光灯。

　　A.30　　　　B.50　　　　C.75　　　　D.100

　　57.基本尺寸相同的相互结合的孔和轴带之间的关系，称为　 A 　。

　　A.配合　　B.公差　　　C.间隙　　　D.极限

　　58.允许尺寸变动量称为　 D 　。

　　A.基本尺寸　　　　　　B.实际尺寸

　　C.极限尺寸　　　　　　D.尺寸公差

　　59.目前齿轮的齿廓曲线用得最多的是　 C 　齿廓。

　　A.曲线　　B.螺旋线　　C.渐开线　　D.直线

　　60.在下列机械传动中　 A 　传动的效率最高。

　　A.齿轮　　B.蜗轮蜗杆　　C.平型带　　D.三角带

　　61.安装发动机活塞环时，其活塞环开口，应相互错开　 B 　。

　　A.90°　　　B.120°　　　C.145°　　　D.180°

　　62.推土、铲运机的钢丝绳安装绳卡时，压板应　 A 　。

　　A.放在长绳一侧

　　B.放在短绳一侧

　　C.交错安装

　　D.没有规定可以任意方向安装

　　63.上海-120和红旗-100推土、铲运机主离合器是　 B 　。

　　A.经常接合式　　　　　B.非经常接合式

　　C.锥式　　　　　　　　D.带式

　　64.为避免打滑现象。保证平型带传动正常工作，一般要求小带轮包角 $\gamma \geqslant$ 　 C 　。

　　A.120°　　　B.130°　　　C.150°　　　D.175°

65．推土、铲运机履带脱出，这是因为__B__。

A．该边履带太紧　　　　　B．该边履带太松

C．支重轮漏油　　　　　　D．推土刀板向该边调节侧铲

66．__C__传动用于传递交错轴之间的运动。

A．圆柱齿轮　　　　　　　B．圆柱斜齿轮

C．蜗轮蜗杆　　　　　　　D．三角带

67．推土、铲运机发动机、机油压力过低这是因为
__D__。

A．发动机温度太低　　　　B．机油浓度过稠

C．发动机转速太高　　　　D．主轴颈和连杆颈轴间隙过大

68．东方红推土机主离合器是__A__。

A．经常接合式　　　　　　B．非经常接合式

C．锥式　　　　　　　　　D．平盘带式

69．上海-120 推土机发动机喷油嘴喷油压力为__D__kg/
cm²。

A．110～120　　　　　　　B．130～140

C．150～160　　　　　　　D．170～180

70．上海-120 推土机发动机进气门间隙__A__mm。

A．0.25　　B．0.35　　D．0.45　　D．0.50

71．红旗-100 型推土、铲运机履带中心距为__C__mm。

A．1280　　B．1580　　C．1880　　D．2080

72．自行式铲运机适用于运距在__D__m 范围内的土方
工程中施工。

A．100～1000　　　　　　B．400～1500

C．600～2500　　　　　　D．800～3500

73．红旗-100 型推土铲运机汽油发动机熄火时宜用
__C__。

A. 关闭节油气阀   B. 关闭汽油开关

C. 熄火装置   D. 自行熄火

74. 俯视图与侧视图有＿＿B＿＿关系。

A. 等高   B. 等宽   C. 等长   D. 等面积

75. 上海-120 型推土机发动机排气门间隙为＿＿B＿＿mm。

A.0.10   B.0.20   C.0.45   D.0.60

76. 因＿＿D＿＿柴油发动机排气会冒蓝烟。

A. 喷油时间过早   B. 喷油时间太迟

C. 发动机水温太高   D. 发动机上机油

77. 上海-120 型推土机发动机缸径和行程为＿＿A＿＿mm。

A.135×140   B.140×135

C.135×150   D.150×135

78. 推土铲运机发动机因＿＿D＿＿油底壳机油平面会升高。

A. 发动机温度过高   B. 活塞与缸套间隙过大

C. 发动机机油过稀   D. 气缸垫损坏

79. 柴油机排气冒白烟是因为＿＿A＿＿。

A. 喷油嘴喷油时有滴油现象

B. 柴油机水温过高

C. 喷油时间早

D. 进排气门间隙太小

80. 机械操作人员要提高安全操作意识，在作业中做到三个不伤害即＿＿D＿＿。

A. 不伤害自己、不伤害他人、不伤害设备

B. 不伤害自己、不伤害他人、不伤害构筑物

C. 不伤害他人、不伤害设备、不伤害构筑物

D. 不伤害自己、不伤害他人、不被他人伤害

81. 红旗-100A 推土、铲运机发动机功率为＿＿C＿＿马力。

A.10   B.15   C.17   D.20

82．齿轮传动的特点有__A__。

A．传递的功率和速度范围大

B．传动效率低、使用寿命长

C．齿轮的制造安装要求低经济性好

D．可以用摩擦力来传递运动

83．在下列机械传动中__D__传动的中心距最大。

A．直齿圆柱齿轮   B．蜗轮蜗杆

C．锥齿轮   D．带传动

84．在下列机械传动中（D）传动的传动比最大。

A．平型带传动   B．三角带传动

C．锥齿轮传动   D．蜗轮蜗杆传动

85．钢丝绳断丝达__A__％应报废。

A．10   B.15   C.20   D.25

86．平型带传动的特点有__D__。

A．结构复杂

B．不适应用于两轮中心距较大的场合

C．过载打滑保持正确传动比

D．富有弹性能缓冲传动平稳无噪声

87．碳素钢中的__C__元素为有害的杂质元素。

A．铬   B．硅   C．磷   D．锰

88．气缸盖螺栓紧固应__D__达到原制造厂规定的扭紧力矩。

A．一次拧紧

B．分几次拧紧

C．按一定顺序逐个拧紧

D．按一定顺序分几次扭紧

96

89．推土、铲运机的油压增力器是转向操纵的　C　装置。

A．变速　　　B．传动　　　C．助力　　　D．动力

90.6135 发动机调整气门间隙时，最少可分　A　次调整好。

A.2　　　　　B.3　　　　　C.6　　　　　D.12

91．用绳卡连接钢丝绳时，绳卡间距不应小于钢丝绳直径的　B　倍。

A.3　　　　　B.6　　　　　C.8　　　　　D.10

92．红旗-100 型推土铲运机发动机气门间隙（热车）为　C　mm。

A.0.15～0.20　　　　　B.0.25～0.30

C.0.30～0.35　　　　　D.0.40～0.45

93．柴油机牌号是以　C　为柴油的牌号。

A．燃点　　　B．粘度　　　C．凝固点　　D．比重

94．发动机活塞环内圆上有倒角安装时倒角一面　A　。

A．必须朝上　　　　　B．必须朝下

C．任意　　　　　　　D．不允许有

95．下列形位公差符号中。表示对称度的是　B　。

A.O　　　B.　⚌　　　C.　╱　　　D.　▱

96．四行程柴油机的作功行程是　B　。

A．活塞从上止点向下止点移动，进排气门关闭，活塞到达上止点时开始喷油

B．活塞从上止点向下止点移动，进、排气门关闭活塞到达上止点前一定角度时喷油

C．活塞从上止点向下止点移动，进、排气门关闭活塞到达上止点后开始喷油

D．活塞从上止点向下止点移动，进排气门关闭，活塞

97

到达上止点前开始喷油

97．柴油发动机__C__。

A．正常运转时进入气缸内的气体是柴油与空气的混合气体

B．压缩比较低，靠柴油自燃着火燃烧而作功的

C．压缩比较高，靠压燃点火燃烧而作功的

D．压缩比较高，输出扭矩较小

98．柴油发动机启动后要以低速动转__B__min后，方可逐渐增加转速和负荷。

A．1～3　　　B．3～5　　　C．8～10　　　D．15

99．发动机在工作过程中，活塞顶部的气体压力是__A__。

A．作功行程是推动力　　　B．压缩行程是推动力

C．推动力　　　　　　　　D．阻力

100．发动机在进气行程中充气系数是__D__。

A．等于 1　　B．大于 1　　C．小于等于 1　　D．小于 1

101．推土、铲运机的走合期一般规定为工作__A__h。

A．100　　　B．150　　　C．200　　　D．300

102．三角带的截面夹角是__C__。

A．20°　　　B．30°　　　C．40°　　　D．50°

103．能保持瞬时传动比恒定的传动是__D__。

A．摩擦轮传动　　　　　　B．带传动

C．键传动　　　　　　　　D．齿轮传动

104．一般发动机活塞头部尺寸比活塞裙部尺寸__B__。

A．大　　　　　　　　　　B．小

C．相同　　　　　　　　　D．大或小都可以

105．红旗-100 推土、铲运机 4146 发动机减压机构间隙

（热车）为　C　。

A.0.20～0.30　　　　　　B.0.40～0.50

C.0.50～0.60　　　　　　D.0.60～0.70

106.70 号汽油中的 70 表示　C　。

A.蒸发性　　　　　　　　B.粘度

C.辛烷值　　　　　　　　D.四乙基铅含量

107.发动机增压器的作用是　A　。

A.提高进气压力，增加充气量

B.提高排气压力，废气排除干净

C.提高气缸压力，减少供油量

D.提高进气，排气压力

108.柴油湿式缸套发动机因　D　会使发动机油底壳机油平面升高。

A.气门密封不严　　　　　B.活塞环磨损

C.节温器失灵　　　　　　D.气缸套与机体接合面不密封

109.红旗-100 推土、铲运机 4146 发动机缸径和行程　C　mm。

A.146×204　　　　　　　B.204×146

C.146×414　　　　　　　D.146×304

110.根据欧姆定律式 $R = \dfrac{U}{I}$，可知一段导体的电阻与其两端所加的　B　。

A.电压和电流都无关

B.电压成正比，电流成反比

C.电流成正比，电压成反比

D.只与电压有关

111.两只相同电压的电瓶串联时　A　。

A. 电压增加　　　　　　B. 电压不变

C. 电压减少　　　　　　D. 电流减少

112. 如果电流通向负载的两根导线不经负载而直接接通，则我们说电路发生了＿＿C＿＿。

A. 断路　　B. 回路　　C. 短路　　D. 电路

113. 发动机用直流电动机启动，这是因为＿＿B＿＿。

A. 启动速度高　　　　　B. 启动方便

C. 启动功率大　　　　　D. 启动扭矩大

114. 充电发动机炭刷和整流子之间的接触面不应小于炭刷面的＿＿D＿＿。

A. $\dfrac{1}{3}$　　B. $\dfrac{1}{2}$　　C. $\dfrac{2}{3}$　　D. $\dfrac{3}{4}$

115. 一般情况下蜗轮蜗杆传动比齿轮传动＿＿B＿＿。

A. 磨损轻　　　　　　　B. 磨损严重

C. 磨损相同　　　　　　D. 传动比小

116. 内燃机是将＿＿D＿＿转变为机械能。

A. 化学能　　B. 电动　　C. 动能　　D. 热能

117. 汽油发动机点火系统的点火线圈的作用是＿＿C＿＿。

A. 加热

B. 提高电流

C. 把低电压转变为高电压

D. 把高电压转变为低电压

118. 电动机是根据通电导线在磁场中＿＿C＿＿作用而运动的原理做成的。

A. 运动　　B. 通电　　C. 受力　　D. 惯性力

119. 两只相同的电压的电瓶并联时，其总电流＿＿C＿＿。

A. 不变　　B. 减少　　C. 增加　　D. 为零

120.40Cr 中含铬量在 __B__ 左右。

A.0.15%以下　　　　　　B.1.5%以下

C.15%以下　　　　　　　D.1%以下

121.用编结方法连接钢丝绳时，连接强度不得小于钢丝绳破断拉力的 __B__ %。

A.70　　　　B.75　　　　C.80　　　　D.85

122.导体的长度和截面积都增大一倍，其电阻值 __C__ 。

A.增大一倍　　　　　　B.增大两倍

C.不变　　　　　　　　D.增大四倍

123.熔断丝的熔体断后，为不影响生产用 __D__ 来修复。

A.铜丝　　　　　　　　B.铝丝

C.铁丝　　　　　　　　D.原规格熔断器

124.电流中任意两点电位的差值称为 __C__ 。

A.电动势　　B.电位　　C.电压　　D.电能

125.东方红推土机发动机 4125 缸径和行程为 __B__ mm。

A.152×125　　　　　　B.125×152

C.412×125　　　　　　D.125×250

（三）计算题

1.已知：如图示 $R_1 = 7\Omega$，$R_2 = R_3 = 10\Omega$，电瓶两端电压 $U_1 = 12V$

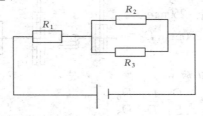

试求：电流 I。

【解】 $R_{总} = R_1 + \dfrac{R_2 \cdot R_3}{R_2 + R_3} = 7 + \dfrac{10 \times 10}{10 + 10} = 12\Omega$

$$I = \dfrac{U}{R} = \dfrac{12}{12} = 1A$$

答：电流 $I = 1A$。

2．已知一标准直齿圆柱齿轮，齿数 $z = 30$，根圆直径 $d_f = 192.5mm$

试求：齿距 p、顶圆直径 d_a、分度圆直径 d、齿高 h。

【解】 $d_f = m (z - 2.5)$

得 $m = \dfrac{d_f}{z - 2.5} = \dfrac{192.5}{30 - 2.5} = 7mm$

齿距 $p = \pi m = 3.14 \times 7 = 21.98mm$

顶圆直径 $d_a = m (z + 2) = 7 \times (30 + 2) = 224mm$

分度圆直径 $d = mz = 7 \times 30 = 210mm$

齿高 $h = 2.25m = 2.25 \times 7 = 15.75mm$

答：齿距 $p = 21.98mm$
顶圆直径 $d_a = 224mm$，分度
圆直径 $d = 210mm$ 齿高 h
$= 15.75mm$

3．如图示电动机转速
$n_1 = 1450r/min$，$D_1 = 200mm$，
$D_2 = 300mm$，$D_3 = 250mm$，D_4
$= 400mm$，$D_5 = 280mm$，$D_6 =$
$420mm$

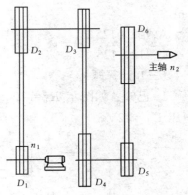

求主轴的转数 n_2

【解】 $\dfrac{n_1}{n_2} = \dfrac{D_2}{D_1} \cdot \dfrac{D_4}{D_3} \cdot \dfrac{D_6}{D_5}$

$$n_2 = n_1 \cdot \frac{D_1 \cdot D_3 \cdot D_5}{D_2 \cdot D_4 \cdot D_6} = 1450 \times \frac{200 \times 250 \times 280}{300 \times 400 \times 420}$$

$$= 403 \text{r/min}$$

答：主轴转数 $n_2 = 403\text{r/min}$。

4．已知孔为 $\phi 60^{+0.03}$mm 与轴为 $\phi 60^{+0.055}_{+0.035}$ 相配合，求：孔与轴相配合时的最大和最小过盈各为多少毫米？

【解】 $\quad Y_{\max} = D_{\min} - d_{\max} = 60 - 60.055 = -0.055\text{mm}$

$\quad\quad Y_{\min} = D_{\max} - d_{\min} = 60.03 - 60.035$

$\quad\quad\quad = -0.005\text{mm}$

答：孔与轴配合时的最大过盈为 0.055mm

$\quad\quad$孔与轴配合时的最小过盈为 0.005mm

5．图示路堤长 1km，现用两台推土机往两边推土推平，作业循环时间平均为 3min。

试求：共需多少天才能完成？

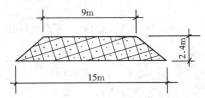

注：（1）铲斗所堆积的土壤体积 $q = 1.8\text{m}^3$；

$\quad\quad$（2）每天连续作业时间为 $T = 7\text{h}$；

$\quad\quad$（3）时间利用系数 $k_B = 0.9$；

$\quad\quad$（4）运土时土壤漏耗系数 $k_n = 0.9$；

$\quad\quad$（5）土壤为二级土，土壤松散系数 $k_p = 1.2$。

【解】 $\quad$一台推土机每班运土量

$$n = \frac{60 T q k_B k_n}{t \cdot k_p}$$

$$= \frac{60 \times 7 \times 1.8 \times 0.9 \times 0.9}{3 \times 1.2}$$

$$= 170.1 \text{m}^3/\text{台班}$$

两台推土机每班运土量为 $170.1 \times 2 = 340.2 \text{m}^3/\text{天}$

该路堤共有土方量为 $(9 \times 2.4 + 3 \times 2.4) \times 1000 = 28800 \text{m}^3$

共需天数 $28800 \div 340.2 = 84.7$ 天

答：两台推土机同时推土共需 84.7 天才能完成。

6. 在开口式平型带传动中，小轮直径 $D_1 = 200$mm，大轮直径 $D_2 = 600$mm 两轮中心距离 $a = 1200$mm，试求：传动比 i 平型带的计算长度。

【解】 传动比 $i = \dfrac{n_1}{n_2} = \dfrac{D_2}{D_1} = \dfrac{600}{200} = 3$

平型带的计算长度 $L = 2a + \dfrac{\pi}{2}(D_2 + D_1) + \dfrac{(D_2 - D_1)^2}{4a}$

$$= 2 \times 1200 + \frac{3.14}{2}(600 + 200)$$

$$+ \frac{(600 - 200)^2}{4 \times 1200}$$

$$= 3689.3 \text{mm}$$

答：传动比 $i = 3$，计算长度 $L = 3689.3$mm。

7. 相啮合的一对标准圆柱齿轮，齿数 $Z_1 = 20$，$Z_2 = 32$ 模数 $M = 10$mm，试计算两齿轮的分度圆直径和两轮中心矩。

【解】 分度圆直径 $d_1 = mz_1 = 10 \times 20 = 200$mm

$$d_2 = mz_2 = 10 \times 32 = 320 \text{mm}$$

两轮中心距 $a = \dfrac{m}{2}(z_1 + z_2) = \dfrac{10}{2}(20 + 32) =$

260mm

答：两轮分度直径分别为 $d_1 = 200$mm，$d_2 = 320$mm，两轮中心距 $a = 260$mm。

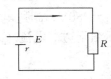

8．已知:图示电源电动势 $E = 3$V，内电阻 $r = 0.6\Omega$,外电阻 $R = 2.4\Omega$,

求：电路的总电流 I，内电压 $U_内$ 和电源端电压 $U_外$。

【解】　$I = \dfrac{E}{R + r} = \dfrac{3}{0.6 + 2.4} = 1$A

$U_内 = Ir = 1 \times 0.6 = 0.6$V，　$U_外 = IR = 1 \times 2.4 = 2.4$V

答：电路的总电流为 1A，内电压为 0.6V，电源两端电压为 2.4V。

9．已知：$D_1 = 80$mm　$D_2 = 1200$mm　中心距 $a = 1200$mm

求：开口式平型带传动中的传动比和平型带的长度并验算包角。

【解】　$i = \dfrac{n_1}{n_2} = \dfrac{D_2}{D_1} = \dfrac{200}{80} = 2.5$

平型带的长度 L

$$L = 2a + \dfrac{\pi}{2}（D_2 + D_1）+ \dfrac{(D_2 - D_1)}{4a}$$

$$= 2 \times 1200 + \dfrac{3.14}{2}（200 + 80）+ \dfrac{(200 - 80)^2}{4 \times 1200}$$

$$= 2842.6\text{mm}$$

包角 α

$$\alpha = 180° - \dfrac{D_2 - D_1}{a} \times 60°$$

$$= 180° - \dfrac{200 - 80}{1200} \times 60°$$

$=174°$（$x \geqslant 120°$ 适用）

答：传动比 $i = 2.5$，平型带长度 $L = 2842.6$mm

包角 $\alpha = 174°$（$\alpha \geqslant 120°$）适用。

10. 有一低压变电器的原边电压为 $U_1 = 380$V，副边电压 $U_2 = 36$V，在接有电阻性负载时，实际测副边的电流 $I_2 = 3$A，若变压器的效率为 $\eta = 0.85$

试求：原、副边的功率损耗及原边电流 I_1

【解】 $P_2 = U_2 \cdot I_2 = 36 \times 3 = 108$W

$$P_1 = \frac{P_2}{\eta} = \frac{108}{0.85} = 127\text{W}$$

$$P_损 = P_1 - P_2 = 127 - 108 = 19\text{W}$$

$$I_1 = \frac{P_1}{U_1} = \frac{127}{380} = 0.334\text{A}$$

答：该变压器副边功率为 108W，原边功率为 127W。

功率损耗为 19W，原边电流为 0.334A。

（四）简答题（每题 5 分，共 30 分）

1. 推土机传动装置的功用是什么？包括哪些主要机构？

答：推土机传动装置是将发动机的动力由曲轴传至推土机的链轮，并用以改变推土机的牵引力、速度和行驶方向。

主要机构包括主离合器，变速箱，后桥，转向离合器、操纵机构及最终传动装置等。

2. 东方红-60 型推土机主离合器在工作中应注意哪些方面？

答：东方红-60 型推土机主离合器是常接合式的，使用时注意以下几点：

（1）分离时要迅速，离合器踏板应踩到底。

（2）接合时要平稳，但不宜过慢，使离合器处于半接合状态造成摩擦片的磨损。

（3）机械运行中，不允许将脚踏在离合器踏板上，这样会使摩擦片处于半接合状态。

（4）在工作中遇有坚硬土壤不可用猛抬离合器踏板的办法，硬顶硬拉，否则将损坏离合器和其他传动部件。

3. 怎样调整主离合器？（以上海-120和红旗-100型为例）

答：调整离合器按如下步骤进行：（以上海-120和红旗-100型为例）

（1）关闭发动机；

（2）分开主离合器；

（3）将变速杆放在空档位置；

（4）取不离合器上的检视孔盖；

（5）旋转离合器凸轮架，直到凸轮架上夹紧螺栓处于用丁字扳手能旋转的位置，将螺栓旋松；

（6）将变速杆放在检视孔盖任一档位置；

（7）将离合器凸轮架向右转动少许，可以调紧，如调松向左转少许，使凸轮架离开压盘；

（8）接合离合器，拉动操作杆上的力在 14±2kg 内，并且在越过压点时应发出特有的响声；

（9）旋紧凸轮架的夹紧螺栓，然后推土机带负荷工作时不打滑即可，用销垫销紧凸轮架的夹紧螺栓；

（10）装好离合器检视孔盖。

4. 怎样判别主离器打滑？

答：将推土机置于硬土上，放下刀架将变速杆置于一档，拉足油门进行满载推土，若推土机行走缓慢，而发动机仍然高速运转，即说明主离合器打滑。

5. 推土铲运机按其动力操纵机构的不同可分哪几类?

答: 推土铲运机按其动力操纵机构的不同可分为钢丝绳操纵和油压操纵两大类。

6. 推土铲运机装火车或平板时, 应注意哪些工作?

答: (1) 平板车的轮子轮胎要刹牢; (2) 跳板必须搭牢靠实; (3) 操作机械要稳, 行驶要缓慢; (4) 装妥后应将发动机熄灭, 挂上一档, 接合主离合器, 刹车刹牢并锁住, 推刀铲运斗均应放下, 并用三角木垫牢钉住, 钢丝绑扎牢靠。

7. 在坡度上机械发生故障或熄火时怎么处理?

答: 在坡度上机械发生故障或熄火时, 应先将推刀或铲运斗放置地面, 踏下并锁住制动踏板然后进行检修和发动工作。

8. 钢丝绳操纵的拖式铲运机, 其操纵钢丝绳有哪几部分组成?

答: 操作钢丝绳有: (1) 提斗钢丝绳; (2) 卸土钢丝绳; (3) 提升斗门钢丝绳; (4) 蜗形器钢丝绳; (5) 弹簧筒钢丝绳。

9.135 系列发动机活塞连杆组包括哪些主要零件?

答: 主要有活塞、活塞销、锁簧、活塞环、连杆体、连杆轴瓦、连杆盖、连杆螺钉、定位套筒、活塞销轴承等零件。

10. 推土机离合器挠性连接块应注意哪些事项?

答: (1) 防止挠性连接块沾土润滑油或燃油, 否则使其迅速腐坏和破裂。

(2) 绝对禁止用拖带的办法来发动柴油机, 因为这样会使挠性连接块承受压缩力而迅速损坏。

（3）挠性连接块损坏时要成套更换，否则新更换的会迅速损坏。

11．红旗-100操纵机构绞盘制动带失效的原因及排除方法？

答：失效的原因：

（1）制动臂杠杆与滚轮间无间隙；（2）制动带摩擦片有油；（3）制动带摩擦片磨损；（4）制动带失圆；（5）弹簧压力不足。

排除方法：

（1）调整间隙；（2）清洗油渍；（3）更换摩擦片；（4）校圆制动带；（5）调整弹簧压力。

12．红旗-100型锥形离合器打滑操纵杆沉重不灵的原因及排除方法？

答：打滑原因：

（1）锥形离合器摩擦块有台阶；（2）锥形离合器摩擦块表面有油；（3）锥形离合器摩擦块破裂铆钉露出；（4）锥形离合器摩擦块角度不对；（5）离合器螺帽缩进绞盘壳体内太多所以感到沉重。

排除方法：

（1）车去台阶；（2）清洗油渍；（3）更换新摩擦块；（4）车下角度；（5）调整距离。

13．发动机曲轴箱冒烟的原因及排除方法？

答：（1）活塞环磨损；（2）活塞与气缸间隙过大；（3）因润滑油不足而摩擦表面高度受热。

排气方法：

（1）更换活塞环；（2）检查修理；（3）检查曲轴箱油位及机油压力。

14．产生柴油机不能启动的故障有哪些主要方面的原因？

答：（1）燃油系统的故障；（2）启动系统的故障；（3）发动机压缩力不足；（4）喷油时间不对。

15．燃油中有空气会出现什么故障？135系列发动机燃油中空气如何排除？

答：燃油系统中漏入空气会使发动机启动困难，功率不足运转不正常甚至熄火。

排除方法：拧开喷油泵和燃油滤清器上的放气螺塞，以手泵把燃油压到溢出燃油中不带气泡为止，然后拧紧螺塞将手泵固紧。

16．主离合器分离不彻底有什么危害？

答：主离合器分离不彻底时造成变速困难，加速摩擦片的磨损、导致变速箱齿轮拨叉等件损坏。

17．主离合器沾油打滑时如何清洗？

答：将发动机熄火，打开检视孔盖，旋下壳体下部放油塞，分开离合器，用喷油枪喷注汽油在摩擦片的工作面上，使汽油完全从摩擦片的工作面上流下，主离合器清洗后应该重新润滑各润滑点，旋上放油塞和装好检视孔盖。

18．钢丝绳操纵的铲运机卸土板不回位的原因及排除方法？

答：不回位的原因：（1）卸土板变形；（2）滚轮卡住；（3）蜗形器弹簧筒钢丝绳长度不合适造成。

排除方法：（1）检修整形卸土板；（2）检修滚轮；（3）重调蜗形器。

19．如何调整制动器踏板的自由行程？

答：由于制动带的磨损，必须定期收紧制动器其方法如下：

（1）打开制动带检视孔盖；

（2）按顺时针方向转动制动带端的调整螺母，制动带收紧行程减少，反之则大，调整到制动踏板规定的自由行程；

（3）放出制动踏板时，制动带不应触及制动鼓，为保证这一必要间隙利用转向离合器壳底下的调整螺栓，将其拧到底，然后再退回 1~1.5 圈用锁紧螺母固定。这样调整螺栓从下面支持制动带，保证了制动摩擦片与制动鼓的正确间隙。

20．红旗-100 型卷筒锥型壳发热的原因及排除方法？

答：发热的原因：（1）锥形块与锥形壳的摩擦表面间隙太小；（2）锥形块摩擦表面有油；（3）大被动齿轮锥形轴承间隙太小；（4）卷筒锥形轴承间隙太小；（5）制动带制动不灵。

排除方法：（1）调整到适当间隙；（2）清洗油渍；（3）调整轴承间隙；（4）调整轴承间隙；（5）调整修理制动带。

21．什么叫电流？产生电流的条件是什么？电流的方向怎样规定？

答：电荷有规则的定向运动就形成了电流，我们用每秒钟通过导线某一截面的电荷量的多少来衡量电流的强弱称为电流强度简称电流，单位用安培（A）来表示即库仑/秒。

产生电流的条件是导体两端的电位差，人们习惯规定以正电荷运动的方向作为电流的方向。

22．造成发动机气缸顶部发生敲击声的原因是什么？

答：（1）供油时间过早（或点火时间过早）；（2）活塞

销间隙过大；(3) 活塞或气缸套磨损、间隙过大。

23. 造成引导轮支重轮托轮凸缘磨损极大的原因及排除方法？

答：凸缘磨损极大的原因是：

(1) 引导轮支重轮、托轮的中心不在一直线上；(2) 台车架变形；(3) 台车架斜撑轴衬磨损；(4) 台车架斜撑轴承盖螺栓松弛。

排除方法：(1) 校正中心；(2) 校正台车架；(3) 调整轴衬；(4) 拧紧螺栓。

24. 柴油发动机油底壳油平面升高的原因是什么？

答：油底壳油平面升高的原因有以下几个方面：

(1) 柴油发动机燃烧不好有部分柴油漏入油壳底，如喷油嘴雾化不良有滴油现象，喷油嘴喷油量过多。

(2) 油底壳中漏入水分如气缸床垫损坏，气缸套密封圈损坏漏水，缸头出现裂缝漏水，气缸盖固定螺栓紧度不够，气缸床垫漏水，气缸套腐蚀穿孔。

25. 如何找出有故障的喷油嘴？

答：使柴油机怠速运转，逐一将喷油嘴与高压油松开，以停止喷油嘴喷油，同时观察排气的颜色和发动机运转情况，如喷油嘴有故障则排气停止冒黑烟发动机的转速变化很小或者不变化，则该喷油嘴有故障。

26. 产生发动机压缩压力不足的原因及排除方法？

答：产生发动机压缩压力不足的原因有：

(1) 活塞环过度磨损；(2) 气门漏气；(3) 气缸套过度磨损；(4) 气缸衬垫损坏

排除方法：

(1) 更换活塞环；(2) 检查气门间隙、气门弹簧、气门导管及气门座的密封情况而进行调整，更换及研磨气门；（3）更换气缸套；（4）更换气缸衬垫。

27. 红旗-100型铲运机前斗门和铲斗不能提升的原因及排除方法？

答：主要是绞盘离合器的故障如：（1）制动带抱合不紧；（2）制动带摩擦面有油；（3）制动弹簧张力不足。

排除方法：（1）重新调整制动带的分离间隙或重铆制动带衬面；（2）清洗制动带；（3）重新调整弹簧张力。

28. 如何确定载流导体在磁场中的运动方向？

答：载流导体在磁场中的运动方向可以用左手定则来确定。即把左手伸开，使手心迎着磁力线方向，四指的指向与电流方向一致，则与四指成直角的大拇指的指向即是导体运动方向，电动机就是根据这一原理制成的。

29. 人触电时如何急救？

答：遇到有人触电时，首先要切断电源或将人离开电源，视触电伤者情况进行急救，若停止呼吸则采取口对口人工呼吸法急救，若心脏停止跳动则采取胸外心脏挤压法急救，每分钟14～16次，如呼吸没有，心脏也停止跳动，则要两种急救法交替进行，若有两人在场，则可同时进行两种方法急救，在急救同时要想法送医院抢救。

30. 油底壳内机油油面高度为什么会突然升高？

答：造成油底壳内机油油面高度突然升高的原因大都因水分或燃油（柴油或汽油）泄漏到油底壳中所致，此时可取出少许机油，沉淀后观察底部有无水珠，以判断是否有水分混入。如无水珠，就可能是燃油混入。

题目：实际操作部分

1. 题目:重质土壤场地的平整(运土距离在100m以内)

考核项目及评分标准

序号	考核项目	评 分 标 准	满分	检测点					得分
				1	2	3	4	5	
1	机械选择	机械选择正确 运土距离在100m以内 推土装置加松土装置	5						
2	操作顺序	操作顺序正确： 挖填高差大地段，推出标高小块，先松土后推土（或改成侧推刀，先将原土破开）	20						
3	场地平整度	场地平整度符合设计要求，从中心线往两边线偏差±12cm 水平标高±12cm	30						
4	场外区域	场外不被破坏无土堆物	10						
5	机械停置	机械停置点选择正确	5						
6	文明施工	不浪费材料，工完场清机清	10						
7	安全生产	重大事故不合格，小事故扣分	10						
8	工 效	根据项目，按劳动定额进行低于90%本项无分在90%～100%之间酌情扣分超过定额的酌情加分	10						

注：水平标高检查点的要求

项次	项 目	水 平 标 高 检 测 点
1	场地平整	10×10～20×20m² 取一点，总数不小于10点
2	基 坑	20m² 取5点，每个基坑不少于2点
3	基槽和管沟	20m取一点，总数不少于2点
4	路 堤	20m取一组（2点）总数不少于5组
5	其他挖填方	30～50m² 取一点，总数不少于5点

2．题目：重质土壤场地的平整（运土距离在100m以外）

考核项目及评分标准

序号	考核项目	评　分　标　准	满分	检测点					得分
				1	2	3	4	5	
1	机械选择	机械选择正确：运土距离适经在80～800m用拖式铲运机超过800m以上用自行式铲运机	5						
2	操作顺序	操作顺序正确 先松土后铲运，先铲填高差大地段，先开辟标准带后逐步展开	20						
3	场地平整度	场地平整度符合设计要术从中心线往两边±12cm，水平标高±12cm	30						
4	场外区域	场外无土壤堆积，不被破坏	10						
5	机械停置	机械停置点选择正确	5						
6	文明施工	不浪费材料，工完场清机清	10						
7	安全生产	重大事故不合格，小事故扣分	10						
8	工　效	根据项目，按劳动定额进行低于90%本项无分在90%～100%之间酌情扣分超过定额的酌情加分	10						

注：水平标高检查点的要求

项次	项 目	水 平 标 高 检 测 点
1	场地平整	$10 \times 10 \sim 20 \times 20m^2$ 取一点，总数不小于 10 点
2	基 坑	$20m^2$ 取 5 点，每个基坑不少于 2 点
3	基槽和管沟	20m 取一点，总数不少于 2 点
4	路 堤	20m 取一组（2 点）总数不少于 5 组
5	其他挖填方	$30 \sim 50m^2$ 取一点，总数不少于 5 点

3.题目：傍山推土（运土距离在 100m 以内）

考核项目及评分标准

序号	考核项目	评 分 标 准	满分	检测点					得分
				1	2	3	4	5	
1	机械选择	机械选择正确 推土运距在 100m 以内可用推土机施工	10						
2	操作顺序	操作顺序正确 贴边先推出一块平地，然后分段逐步推除、推边用刀角均匀切，送土用斜推，保持外面高、里面低（靠山坡的一边）	20						
3	场地平整度	符合施工要求从中心线往两边偏差 ±12cm 水平标高偏差 ±12cm	30						
4	机械停置	机械停置点选择正确	10						
5	文明施工	不浪费油材料，工完场清机清	10						

序号	考核项目	评 分 标 准	满分	检测点					得分
				1	2	3	4	5	
6	安全生产	重大事故不合格，小事故扣分	10						
7	工　效	根据项目，按劳动定额进行低于 90% 本项无分在 90%～100% 之间酌情扣分超过定额的酌情加分	10						

注：水平标高检查点的要求

项次	项　目	水 平 标 高 检 测 点
1	场地平整	$10×10～20×20m^2$ 取一点，总数不小于 10 点
2	基　坑	$20m^2$ 取 5 点，每个基坑不少于 2 点
3	基槽和管沟	20m 取一点，总数不少于 2 点
4	路　堤	20m 取一组（2 点）总数不少于 5 组
5	其他挖填方	$30～50m^2$ 取一点，总数不少于 5 点

4．题目：傍山挖土（运土距离在 100m 以外）

考核项目及评分标准

序号	考核项目	评 分 标 准	满分	检测点					得分
				1	2	3	4	5	
1	机械选择	机械选择正确铲运距离在 80～800m 用拖式铲运机在 800m 以上用自行式铲运机	10						

序号	考核项目	评 分 标 准	满分	检测点					得分
				1	2	3	4	5	
2	操作顺序	操作顺序正确先用推土机推出坡顶线和铲运机的上下坡道，挖土按边坡线分层进行并保持靠山坡边较低	20						
3	场地平整度	符合施工要求从中心线往两边线偏差±12cm 水平标高±15cm	30						
4	机械停置	机械停置点选择正确	10						
5	文明施工	不浪费材料工完场清机清	10						
6	安全生产	重大事故不合格，小事故扣分	10						
7	工 效	根据项目，按劳动定额进行低于90%本项无分在90%~100%之间酌情扣分超过定额的酌情加分	10						

注：水平标高检查点的要求

项次	项 目	水 平 标 高 检 测 点
1	场地平整	$10×10~20×20m^2$ 取一点，总数不小于10点
2	基 坑	$20m^2$ 取5点，每个基坑不少于2点
3	基槽和管沟	20m取一点，总数不少于2点
4	路 堤	20m取一组（2点）总数不少于5组
5	其他挖填方	$30~50m^2$ 取一点，总数不少于5点

118

5.题目：推孤石

考核项目及评分标准

序号	考核项目	评 分 标 准	满分	检测点					得分
				1	2	3	4	5	
1	机械选择	机械选择正确 运距在50m以内可用推土机	10						
2	操作顺序	操作顺序正确，先将孤石周围的土推掉，到孤石能摇动后，将推刀插到底部，提刀将孤石推除	20						
3	操作要求	符合施工要求	30						
4	机械停置	机械停置点选择正确	10						
5	文明施工	不浪费油材料，工完场清机清	10						
6	安全生产	重大事故不合格，小事故扣分	10						
7	工 效	根据项目，按劳动定额进行低于90%本项无分在90%～100%之间酌情扣分 超过定额的酌情加分	10						

6.题目：柴油发动机供油提前角的调整

考核项目及评分标准

序号	考核项目	评 分 标 准	满分	检测点					得分
				1	2	3	4	5	
1	工具使用	工具使用合理	15						
2	调整方法	调整方法、顺序正确	15						

序号	考核项目	评 分 标 准	满分	检测点 1	2	3	4	5	得分
3	调整要求	供油提前角符合规定螺栓、螺母扭紧度符合规定，提前角不准无分	30						
4	文明施工	不损坏、丢失配件零件、工完场清	15						
5	安全生产	重大事故不合格，小事故扣分	15						
6	工　效	根据项目，按劳动定额进行低于90％本项无分在90％～100％之间酌情扣分超过定额的酌情加分	10						

7. 题目：柴油发动机排气烟色不正常

考核项目及评分标准

序号	考核项目	评 分 标 准	满分	检测点 1	2	3	4	5	得分
1	故障判断	故障判断正确	15						
2	工具使用	工具使用合理	15						
3	故障排除方法	故障排除方法、顺序正确	20						
4	排除要求	故障排除正确，未排除不合格、安装正确螺栓螺母扭紧度符合规定	20						
5	文明施工	不损坏丢失零配件，工完场清	10						

120

序号	考核项目	评 分 标 准	满分	检测点					得分
				1	2	3	4	5	
6	安全生产	重大事故不合格，小事故扣分	10						
7	工　效	根据项目，按劳动定额进行低于90％本项无分在90％～100％之间酌情扣分超过定额的酌情加分	10						

第三章　高级推土机（铲运机）驾驶员

理论部分

（一）是非题（对的打"√"，错的打"×"）

1．上海-120 红旗-100 推土、铲运机离合器是经常接合式离合器。　　　　　　　　　　　　　　　　（×）

2．推土、铲运机支重轮凸缘磨损，会造成跑偏现象。

　　　　　　　　　　　　　　　　　　　　　　（×）

3．上海-120 红旗-100 推土铲运机最终传动装置的主动齿轮在轴承中的轴向游隙应在 1～2mm 范围内。　（×）

4．推土机在安装自紧油封时应被压缩 4～8mm。　（√）

5．当推土机、铲运机主离合有打滑现象时，绝对不准让推土机再工作。　　　　　　　　　　　　　　（√）

6．推土机液压操纵系统中进入空气，不必排除空气。

　　　　　　　　　　　　　　　　　　　　　　（×）

7．发动机在工作 1h 发出 1 马力所消耗的燃油重量是以克计算称为有效消耗率（克/马力小时）。　　（√）

8．在调换液压系统的液压油时，调换下来的油经沉淀后仍不可以使用。　　　　　　　　　　　　　（√）

9．推土、铲运机不工作时发动机不能在较长时间内进行怠速运转。　　　　　　　　　　　　　　　（√）

10．推土、铲运机增力器机油粘度太小，会使拉动转向操纵杆时很费力。　　　　　　　　　　　　（√）

11．推土机液压系统因滤网被污物堵住，会使液压油温过低。　　　　　　　　　　　　　　　　　（×）

12．发动机新的连杆轴瓦具有互换性，经使用过的连杆

轴瓦在拆下重装时，可以互换。 （×）

13．为了使三相交流电机反转只要互换任意两根电源线即可。 （✓）

14．当熔丝（熔芯）断路后，应及时设法用导电物体代替，来保证机械连续工作。 （×）

15．发动机活塞裙部径向呈椭圆形椭圆的长轴与活塞销轴线同向。 （×）

16．喷油泵每次泵出的油量取决于柱塞的有效行程的长短，而改变有效行程可采用改变柱塞斜槽与柱塞套筒油孔的相对角位移。 （✓）

17．推土、铲运机转向离合器是非经常接合式离合器。 （×）

18．当蜗杆的螺旋导角大于6°时（单头）则蜗杆传动具有自锁作用。 （×）

19．液压油具有良好的润滑性能，有很高的液膜强度。 （✓）

20．节流阀是简易的压力控制阀，调节通过的流量，改变液压机的工作速度。 （✓）

21．液力变矩器将发动机的动力转换为油的动能，再将油的动能转换为机械能而输出动力。 （✓）

22．推土机液压操纵系统推土板操纵杆有提升、下降、停止、浮动四个位置。 （✓）

23．推土、铲运机最终传动的驱动轮有整体式和分块式两种。 （✓）

24．在运距较近的半挖半填地区尽量采用下坡推土。 （✓）

25．铲运机施工是综合施工包括挖、运、卸三个工序。 （✓）

26．上海-120 红旗-100 推土、铲运机挠性联结块可以用柴油清洗。　　　　　　　　　　　　　　　　　　　（×）

27．上海-120 红旗-100 推土铲运机，主离合器调整不当，不能压紧会造成主离合器打滑。　　　　　　　（√）

28．转向离合器操纵机构是由操纵杆，增力器和分离机构组成。　　　　　　　　　　　　　　　　　　　（√）

29．推土、铲运机在转向时，除用转向杆外，还可以同时用制动踏板。　　　　　　　　　　　　　　　　（√）

30．上海-120 红旗-100 推土、铲运机最终传动装置驱动轮是在 30～60t 压力下压装在轮壳的锥形渐开线花键上。

　　　　　　　　　　　　　　　　　　　　　　（√）

31．如果用拖带的办法来发动柴油机，会使挠性联结块受拉力而迅速破坏。　　　　　　　　　　　　　（×）

32．在发动机曲轴后端部装一飞轮可以提高曲轴运转平稳性。　　　　　　　　　　　　　　　　　　　（√）

33．液压系统的滤芯应定期进行清洗或更换。　　（√）

34．推土、铲运机越过浅滩时，应将各放油塞紧固，以免水和污物进入。　　　　　　　　　　　　　　（√）

35．推土机由工厂运到使用地点，在使用之前应进行试运转。　　　　　　　　　　　　　　　　　　　（√）

36．动力绞盘钢丝绳如有扭结，必须事前加以整理后才能使用。　　　　　　　　　　　　　　　　　　（√）

37．在测量活塞顶面与缸盖底面之间的存气间隙用压铅的方向来测量。　　　　　　　　　　　　　　　（√）

38．改变异步电动机绕线转子电路的电阻，就可以实现调速。　　　　　　　　　　　　　　　　　　　（√）

39．液压传动不易实现无级调速。　　　　　　（×）

40．发动机进气涡轮增压的特点之一是发动机低转速时增压效果差，这与低速时机械需要较大转矩有矛盾。　（✓）

41．装置喷油泵联轴器，除可弥补主、从动轴之间的同轴度误差外还可以改变喷油泵的供油提前角。　（✓）

42．推土、铲运机在 1000V 以下架空输电线路下面工作时与输电线路的最近距离为 1m。　（✕）

43．在安装带轮时，主、从动轮的轮槽可以不在同一平面内。　（✕）

44．液压油的粘度随温度升高而提高。　（✕）

45．换向阀是实现油路的换向，顺序动作及卸荷的阀门。　（✓）

46．推土、铲运机转向离合器外鼓与最终传动装置的驱动盘联结螺栓断裂，则会使机械跑偏。　（✓）

47．铲运机按行走方式分为自行式铲运机和拖式铲运机。　（✓）

48．推土、铲运机制动器作用是使推土、铲运机停车。　（✕）

49．上海-120 红旗-100 推土、铲运机拉转向离合器时，可以处于半接合状态。　（✕）

50．红旗-100 推土、铲运机锥形离合器打滑会使动力绞盘铲刀提不起来。　（✓）

51．推土、铲运机的制动器是浮式带制动器。　（✓）

52．上海-120 推土机制动带正常状态是指：当分开转向离合器和踩下制动踏板 150～190mm 时推土机应能灵敏地进行转弯。　（✓）

53．推土、铲运机中央传动装置的圆弧伞齿轮的啮合情况，可用涂色法检查其啮合印痕。　（✓）

54．推土、铲运机发现履带板螺栓松弛时，不必紧固。
（×）

55．推土、铲运机可以在斜坡上停车。　　　（×）

56．上海-120、红旗-100推土铲运机沿坡下行时，发动机油门应在中速以上位置。　　　（×）

57．上海-120推土机发动机曲轴某一段曲轴或零件损坏时，应整根曲轴调换。　　　（×）

58．东方红推土机的主离合器是经常结合式离合器。（√）

59．发动机气缸套封水圈损坏，会引起机油油底壳内机油减少。　　　（×）

60．在同一供电线路中，可以允许一部电器设备采用接地保护，而另一部电器设备采用接零保护。　　　（×）

61．可以把不同电动势，不同内电阻的电源并联使用。
（×）

62．液压系统中的压力的大小随外界的负载变化而变化外界负载越大，液压系统中的油压越小。　　　（×）

63．发动机孔式喷油器主要用于直接喷射式燃烧室的柴油机上，而轴针式喷油器适用于涡流室燃烧室，预燃烧室也适用于U形燃烧室。　　　（√）

64．发动机机油泵常用的形式为齿轮式与膜片式。（×）

65．齿轮渐开线上各点的压力角相等的。　　　（×）

66．在建筑机械，起重机械等液压系统一般选用稠化液压油。　　　（√）

67．O形橡胶密封圈可用于内径密封，不能用于外径密封。　　　（×）

68．安装发动机活塞环时，活塞开口应相互错开180°。
（×）

69．摩擦片翘曲会造成离合器有拖带现象。 （✓）

70．上海-120 红旗-100 推土、铲运机的制动器是作用在传动轴上。 （×）

71．当推土机转向时、支重轮迫使履带沿地面上滚动。 （×）

72．上海-120 推土机在拆下锁紧履带销时锤打其小头端将锁紧履带销打出。 （✓）

73．上海-120 推土机用两只蓄电池串联，并用正板搭铁，作为电源供电。 （×）

74．纸质空气滤清器滤芯禁止用任何油或水清洗。（✓）

75．推土、铲运机在发动机启动前，各操纵杆应在空档位置。 （✓）

76．推土、铲运机发动机燃油中有空气，可利用燃油泵来排除系统内的空气。 （✓）

77．上海-120 红旗-100 推土铲运机完全停止后才可移动变速杆。 （✓）

78．上海-120 推土机发动机，第二、三道气环内圆上切口倒角（1×45°）安装时倒角一面必须朝下。 （×）

79．推土机制动器制动带磨损后，在踩下制动踏板后有强烈的抖动。 （✓）

80．发动机活塞与气缸间隙过大会造成曲轴箱内冒烟。 （✓）

81．三相负载，不论是星形接法，还是三角形接法，它们承受的电压是一样的。 （×）

82．两相互啮合的齿轮模数可以不相等。 （×）

83．在液压系统中，作用于油缸活塞上的推力越大，活塞的移动速度也越快。 （×）

84．发动机喷油泵柱塞的行程是由驱动凸轮廓曲线的最大最小齿径决定的，在整个柱塞上移的行程中，喷油泵都供油。 （×）

85．液压油中如渗有空气，则会产生噪音并使动作平稳。 （×）

86．V形夹织物橡胶密封圈，承受的压力较高，可用于小于等于 $500kg/cm^2$。 （√）

87．推土、铲运机转向离合器的保养在于清洗摩擦片和调整操纵杆行程。 （√）

88．推土、铲运机履带张力机构与驱动轮相连接。（×）

89．为了消除毛坯在制造时产生的内应力，以防止或减少由于内应力引起的变形所采用的处理方法叫做回火。（×）

90．齿轮传动工作可靠，使用寿命长，传动比固定不变。 （√）

91．发动机在每一小时内所消耗的燃油重量是以公斤计算，称为消耗量 G（公斤/小时）。 （√）

92．推土机在行驶时，应将推土板提高到最高位置。 （×）

93．推土机冷启动装置向进气管喷射高燃点的碳氢化合物。 （×）

94．推土、铲运机前进第五速只限在运输时使用。（√）

95．上海-120 推土机发动机第四道油环外圆单面倒角（0.6×45°）安装时倒角一面必须朝下。 （√）

96．并联电路的总电阻比每一个电阻都小。 （√）

97．发动机活塞在气缸内作匀速运动。 （×）

98．发动机供油提前角过大会使柴油发动机的工作粗暴。 （√）

99．推土、铲运机转向离合器助力器；在故障不工作时，转向操纵机构仍可操作。　　　　　　　　　（✓）

100．齿轮分度圆上的压力角规定为标准值分别规定为20°和15°两种。　　　　　　　　　　　　　（✓）

101．液压传动中一般采用普通细牙螺纹连接。　（×）

102．液压传动系统的主要组成有油缸（油马达）、油泵、控制调节装置，辅助装置等。　　　　　　　（✓）

103．D85A-12型推土机装有液压变矩器。　　（✓）

104．发动机气缸套内表面磨损，超过使用极限的间隙，可以加大一级活塞采用搪缸修理的方法。　　　（✓）

105．推土、铲运机后轴箱伞齿轮传动中有一根短半轴断裂则机械会停止行驶。　　　　　　　　　（×）

106．推土、铲运机连锁装置失灵，变速齿轮不能啮合。

（✓）

107．目前齿轮的齿廓曲线用得最多的是螺旋线。（×）

108．铲运机的行驶路线为环形路线时，会使机械的方向离合器及行走部分磨损不均匀，容易引起方向失灵。（✓）

109．在推土运距较远而质又比较坚硬时，宜采用一次推运法。　　　　　　　　　　　　　　　（×）

110．在机械传动中，齿轮传动的效率最低。　（×）

111．千分尺可以用来测量毛坯的外径。　　　（×）

112．在钢件表面渗入碳原子的过程叫渗碳。　（✓）

113．D-80A-12型推土机是干式非经常接合式离合器。

（×）

114．发动机飞轮有贮存能量，克服阻力使曲轴旋转平稳的作用。　　　　　　　　　　　　　　　（✓）

115．曲柄连杆机构是内燃机实现工作循环完成能量转

换的主要机构。　　　　　　　　　　　　　　　　（✓）

116. 单缸发动机运转平稳性最差。　　　　　　（✓）

117. 四行程发动机活塞与气缸壁之间侧压力在压缩行程中最大。　　　　　　　　　　　　　　　　　　（×）

118. 曲柄连杆机构要承受活塞气缸顶部的气体压力。

　　　　　　　　　　　　　　　　　　　　　　（✓）

119. 二行程发动机比四行程发动机燃烧条件差，燃油消耗也大。　　　　　　　　　　　　　　　　　（✓）

120. 柴油发动机比汽油发动机要承受的冲击和振动都大。　　　　　　　　　　　　　　　　　　　　（✓）

121. 发动机排气门头部一般比进气门头部要大。（×）

122. 发动机冷却水最好选用井水。　　　　　　（×）

123. 发动机轴箱通风的目的主要是冷却润滑油。（×）

124. 根据静压传递原理（帕斯卡原理），密封容器内的液体压力强度处处相等。　　　　　　　　　　　（✓）

125. 液压系统中保持恒定的压力起稳压和溢流作用，还可以防止过载的是减压阀。　　　　　　　　　　（×）

（二）选择题（把正确答案的序号填在每题横线上）

1. 推土机变速箱在变速机构中设有连锁机构来保证推土机在行驶途中___A___。

　　A. 不跳档　　　　　　　　　B. 易变速

　　C. 改变行驶方向　　　　　　D. 不自行转向

2. 上海-120 推土机在每个台车架的下部装有左右各五个支重轮，其中第___A___为双边支重轮。

　　A. 二、四　　　　　　　　　B. 一、三

　　C. 二、五　　　　　　　　　D. 一、四

3. 为使钢件有较高的韧性和足够的强度可以用___C___来

达到。

A. 淬火 B. 回火 C. 调质 D. 退火

4. 上海-120 推土机发动机活塞环开口间隙超过 B mm 时应调换。

A. 1.5 B. 2 C. 2.5 D. 3

5. 千分尺的测量范围间隔为 B mm。

A. 10 B. 25 C. 50 D. 75

6. 土方工程量指 C 。

A. 运输车辆装运的土壤体积

B. 挖土的斗容量

C. 天然密实度状态的土壤体积

D. 卸土堆积的土壤体积

7. 当推土、铲运机在平地陷车，需用多台机械拖车时应 C 。

A. 一台机械在前面拉一台机械在后面顶

B. 一台连接一台串联在一起拖

C. 多台机械并排拖

D. 多台机械的行驶速度不同

8. 正常工作时液压系统中，液体的压力取决于 D 。

A. 油泵的工作压力 B. 压力阀的调整

C. 平衡阀 D. 外界负载

9. 三相交流电源的星形接法，其线电压 $U_{线}$ 和相电压 $U_{相}$ 的关系为 B 。

A. $U_{线} = U_{相}$ B. $U_{线} = \sqrt{3}\, U_{相}$

C. $U_{线} = \dfrac{1}{\sqrt{3}}\, U_{相}$ D. $U_{线} = \sqrt{2}\, U_{相}$

10. 溢流阀的进口压力为 D 。

A. 油泵额定压力　　　　　　　B. 工作压力
C. 回油压力　　　　　　　　　D. 系统压力

11. "O"形密封圈的特点是　A　。

A. 结构简单、密封可靠、摩擦力小

B. 密封可靠、摩擦力大

C. 油压越大、密封性能越差

D. 结构复杂、密封可靠、摩擦力小

12. 柱塞泵　D　。

A. 噪声最低

B. 寿命较短

C. 单位功率造价最低

D. 压力最高、多用于大功率

13. 发动机活塞销与活塞销孔是　B　。

A. 过盈配合　　　　　　　　　B. 过渡配合
C. 动配合　　　　　　　　　　D. 滚动摩擦

14. 有一只额定功率为 1kW，电阻值为 100Ω 的电阻，允许通过的最大电流为　C　。

　A. 100A　　　　B. 1A　　　　C. 0.1A　　　　D. 0.01A

15. 调节溢流阀中的弹簧压力，即可调节　B　的大小。

A. 油泵额定压力　　　　　　　B. 系统压力
C. 油缸工作速度　　　　　　　D. 油泵供油量

16. 上海-120 推土机 6135 发动机活塞气环开口间隙超过　B　mm 时，应调换。

　A. 1　　　　　　B. 2　　　　　　C. 3　　　　　　D. 4

17. 上海-120 发动机凸轮轴推力面和轴承面之间轴向间隙超过　D　mm 时应调换。

　A. 0.2　　　　　B. 0.4　　　　C. 0.8　　　　D. 1

18. 红旗-100 型推土、铲运机 4146 发动机气缸盖螺母 M20 扭紧度为 __A__ kg·m。

A. 15~22　　B. 20~25　　C. 25~30　　D. 28~35

19. 红旗-100 推土、铲运机 4146 发动机活塞裙部末端与气缸间隙超过 __B__ mm 时应修理或更换。

A. 0.50　　B. 0.60　　C. 0.70　　D. 0.80

20. 东方红推土机 4125 发动机气缸套椭圆度超过 __A__ mm 时应修理或更换。

A. 0.10　　B. 0.20　　C. 0.30　　D. 0.40

21. 发动机活塞裙部加工成椭圆形，这是因为考虑到 __C__ 。

A. 增加活塞裙部强度　　　　B. 减少活塞重量
C. 活塞受热膨胀不均　　　　D. 活塞受力不均

22. 施工机械的日常维护保养的十字作业法是 __A__ 。

A. 清洁、润滑、紧固、调整、防腐
B. 清洁、润滑、保养、调整、紧固
C. 保养、清洁、调整、测试、防腐
D. 测试、清洁、润滑、调整、紧固

23. 施工机械使用的总目标是 __D__ 。

A. 计划施工　　　　　　　　B. 维护保养
C. 提高利用率　　　　　　　D. 合理使用

24. 某进口机械由于没有配件，长期处于停置状态最后不得不报废，这种报废属 __D__ 。

A. 损蚀报废　　　　　　　　B. 技术报废
C. 经济报废　　　　　　　　D. 特种报废

25. 机械设备的重大事故是指直接经济损失在 __B__ 万元以上。

A. 1　　　　　B. 2　　　　　C. 3　　　　　　D. 4

26. 推土、铲运机转向离合器是推土机用来 ___B___ 。

A. 改变速度　　　　　　　　B. 改变行驶方向

C. 改变传动力矩　　　　　　D. 容易变速

27. 最终传动装置壳体内的齿轮油，在推土机每工作 ___D___ 小时后，应更换。

A. 200～400　　　　　　　　B. 500～700

C. 800～1000　　　　　　　D. 1000～1200

28. 红旗-100型推土、铲运机每边的履带共有 ___C___ 块履带板和 ___C___ 节链节组成。

A. 30　　　　　B. 33　　　　　C. 36　　　　　D. 39

29. 为提高钢件的硬度和强度可以用 ___B___ 的方法来达到。

A. 渗碳　　　　B. 淬火　　　　C. 正火　　　　D. 调质

30. 使用行灯时，其电压不得超过 ___A___ V。

A. 36　　　　　B. 110　　　　C. 220　　　　D. 380

31. 柴油发动机喷油迟会引起发动机 ___D___ 。

A. 运转不稳　　　　　　　　B. 无怠速

C. 有敲击声　　　　　　　　D. 发动机过热

32. 为了使土方工程的边坡稳固，就必须具有一定的坡度，其边坡的坡度一般是以 ___D___ 来表示。

A. 斜坡长度与高度之比　　　B. 斜坡长度与长度之比

C. 底边长度与高度之比　　　D. 高度与底边长度之比

33. 用推土机推群石一般在 ___A___ 容易推除。

A. 雨后土壤含水量较大时

B. 晴天土壤含水量较小时

C. 土壤无含水量时

134

D. 待土壤晒干后

34. 铲运机按__B__路线行驶时，使机械的转向离合器及行走部分磨损不均匀。

A. "8"字形   B. 环形

C. 锯齿形   D. 直线

35. 调速比最高的传动是__A__。

A. 液压传动   B. 皮带传动

C. 齿轮传动   D. 蜗轮蜗杆传动

36. 下列三种测量精度的游标卡尺其中__C__精度为最高。

A. 0.1   B. 0.05   C. 0.02

37. V形密封圈性能特点是__D__。

A. 压力较高时容易损坏密封圈，造成剧烈磨损

B. 应用在移动速度较高的液压缸中

C. 油压越小密封性能就越好

D. 油压越大，密封性能越好

38. 135系列发动机曲轴主轴颈与滚柱轴承内圈孔是__A__。

A. 过盈配合   B. 动配合

C. 过渡配合   D. 滑动配合

39. 有三只电阻阻值均为 R，当两只电阻并联再与另一只电阻串联后，总电阻为__C__。

A. R B. $\frac{1}{3}R$ C. $\frac{3}{2}R$ D. $3R$

40. 液压柱塞泵的特点有__A__。

A. 密封性能好、效率高、压力高

B. 流量大且均匀一般用于中压系统

C. 结构简单、对油液污染不敏感

D. 造价较低、应用较广

41. 三相交流电源的三角形接法，其线电压 $U_线$ 和相电压 $U_相$ 的关系为　A　。

A. $U_线 = U_相$　　　　　　　B. $U_线 = \sqrt{3} U_相$

C. $U_线 = \dfrac{U_相}{3}$　　　　　　D. $U_线 = \sqrt{2} U_相$

42. 上海-120 推土机 6135 发动机气门与气门应经研磨后，其接触宽度为　C　mm。

A. 0.5～1.0　　　　　　　B. 1.0～1.5

C. 1.7～2.2　　　　　　　D. 2.2～3.0

43. 上海-120 推土机 6135 发动机气门座换新，经研磨后气门底面应低于气缸盖底平面　C　mm。

A. 0.5～1.0　　　　　　　B. 1.0～1.35

C. 1.45～2.25　　　　　　D. 2.0～2.25

44. 红旗-100 推土机 4146 发动机喷油提前角在上止点前　C　度。

A. 5±3　　　B. 10±3　　　C. 15±3　　　D. 20±3

45. 红旗-100 推土、铲运机 4146 发动机主轴承螺母 M16 扭紧度为　B　kg·m。

A. 20～25　　B. 25～30　　C. 30～35　　D. 34～39

46. 红旗-100 推土、铲运机 4146 发动机轴曲主轴颈与主轴瓦之间的间隙超过　C　mm 时应修理或更换。

A. 0.15　　B. 0.25　　C. 0.35　　D. 0.45

47. 一般发动机活塞头部尺寸比活塞裙部尺寸　B　。

A. 大　　　B. 小　　　C. 相等　　　D. 不一定

48. 提高汽油的辛烷值是为了提高发动机的　C　。

A．汽油易燃性　　　　　　　B．发动机功率
C．抗爆性　　　　　　　　　D．发动机转速

49．推土、铲运机的油压助力器是转向操纵机构的　C　。

A．变速装置　　　　　　　　B．动力装置
C．传动装置　　　　　　　　D．助力装置

50．红旗-100型推土、铲运机每根履带板有　A　根履带锁紧销。

A．1　　　　B．2　　　　C．3　　　　D．4

51．铲运机空车上坡的坡道一般应不大于　C　。

A．1:1.5　　B．1:2　　C．1:3　　D．1:4

52．用多台推土机并列起来推运土方时推刀之间的距离一般为　A　cm较适宜。

A．15～20　B．30～35　C．40～45　D．50～55

53．液压传递系统的动力部分是　A　。

A．油泵　　　　　　　　　　B．工作油缸
C．液压马达　　　　　　　　D．操纵阀

54．将淬硬的钢件加热到临界点以下的某个温度保温一段时间，然后在空气中或油中冷却下来的过程叫做　B　。

A．退火　　　B．回火　　　C．正火　　　D．调质

55．两台以上拖式铲运机在同一地区作业时，前后距离应大于　B　m。

A．5　　　　B．10　　　C．15　　　D．20

56．我国电网供应的交流电的角频率为　A　弧度。

A．314　　　B．3.14　　C．3140　　D．31.4

57．油液特性的错误提法是　B　。

A. 在液压传动中，油液可以近似看做不可以压缩

B. 油液的粘度与温度变化有关，油温升高、粘度变大

C. 粘性是油液流动时，内部产生摩擦力的性质

D. 液压传动中，压力的大小对油液的流动性影响不大，一般不予考虑

58. 液压系统中的执行元件是__C__。

A. 电动机　　　　　　　B. 液压泵

C. 液压缸或液压马达　　D. 液压阀

59. 上海-120、6135 发动机气缸套磨损后，可用扩大气缸套来进行修理，扩大极限尺寸为__B__mm。

A. $\phi135$　　B. $\phi137$　　C. $\phi139$　　D. $\phi140$

60. 上海-120、6135 发动机喷油提前角在上止点前__D__mm。

A. 10～15　　B. 15～20　　C. 20～25　　D. 28～31

61. 红旗-100 推土、铲运机 4146 发动机主轴承螺母 M20 扭紧度为__C__kg·m。

A. 30～35　　B. 40～45　　C. 45～50　　D. 50～55

62. 一般发动机活塞裙部尺寸加工成__B__。

A. 圆形　　B. 椭圆形　　C. 锥形　　D. 波浪形

63. 进口设备的包修期和索赔期为__B__个月。

A. 3～9　　B. 6～12　　C. 9～15　　D. 12～18

64. 国产设备的包修期和索赔期为__D__。

A. 3～9　　B. 6～12　　C. 9～15　　D. 12～18

65. 机械设备的"三定"责任是指__A__。

A. 定人、定机、定岗位

B. 定人、定机、定成本

C. 定成本、定油耗、定岗位

D. 定油耗、定机长、定人

66. 铲运机的运行路线，对　C　影响很大。

A. 提高机械利用率　　　　　B. 提高机械寿命

C. 提高机械生产率　　　　　D. 提高机械完好率

67. 推土、铲运机不工作或主离合器分离合后油压增力器　C　。

A. 有作用　　　　　　　　　B. 作用减少

C. 不起作用　　　　　　　　D. 压力降低

68. 千分尺不能直接测量机件的　D　。

A. 外径　　　B. 长度　　　C. 厚度　　　D. 内径

69. 自行式铲运机　C　。

A. 运距较近（100m 以内）的场地平整工程

B. 行驶速度较慢运距在 1000m 以内的土方工程

C. 行驶速度快适用于运距在 800m 以上的大型土方工程

D. 为挖掘机自卸汽车清理工作场地

70. 上海-120 推土机发动机气门座经研磨后其接触宽度为　C　mm 之间。

A. 1～1.2　　　　　　　　　B. 1.3～1.5

C. 1.7～2.2　　　　　　　　D. 2.1～2.5

71. 液压传动是依靠　C　来传递运动。

A. 压力的变化　　　　　　　B. 流量的变化

C. 密封容积的变化　　　　　D. 速度的变化

72. 将钢件加热到临界点以上一定温度，并保留一定时间，后缓慢冷却的过程叫做　D　。

A. 正火　　　B. 回火　　　C. 调质　　　D. 退火

73. 工作缸活塞有效作用面积一定时，活塞的运动速度取决于___B___。

A. 液压油缸中的压力　　　B. 进入液压油缸的流量

C. 液压泵的工作压力　　　D. 液压泵的输出流量

74. 用仪表测得的交流电压、交流电流的数值一般是指___D___。

A. 瞬时值　　B. 最大值　　C. 平均值　　D. 有效值

75. 液压油缸中活塞的运动速度仅仅与___D___有关。

A. 油泵的压力

B. 油泵的供油量

C. 作用在活塞上的推力

D. 活塞的面积 A 及流入液压缸的流量 Q 两个因素

76. 液压传动的特点有___B___。

A. 可与其他传动方式联用，但不易实现远距离操纵和自动控制

B. 速度、扭矩、功率均可作无级调速

C. 能迅速转向、变速、传动准确、效率高

D. 不能实现系统过载的保护

77. 三相交流电源的三角形接法其线电流 $I_{线}$ 和相电流 $I_{相}$ 的关系为___D___。

A. $I_{线} = I_{相}$　　　　　　　B. $I_{线} = \dfrac{1}{\sqrt{3}} I_{相}$

C. $I_{线} = \sqrt{2} I_{相}$　　　　　　D. $I_{线} = \sqrt{3} I_{相}$

78. 对人体伤害力最大的电是___D___。

A. 直流电　　　　　　　　B. 高频电流

C. 超高频电流　　　　　　D. 50Hz 的工频交流电

79. 上海-120、6135 发动机在同一台发动机中活塞重量相差不大于___B___克。

A. 5   B. 10   C. 15   D. 20

80. 上海-120 推土机 6135 发动机气缸螺母扭紧度力矩为 __B__ kg·m。

A. 15～18   B. 18～22   C. 22～25   D. 25～28

81. 发动机活塞裙部加工成椭圆形时，其长轴在 __B__ 方向。

A. 活塞销方向   B. 垂直于活塞销方向
C. 与活塞销成 45°角   D. 与活塞销成 60°角

82. 当发动机 __C__ 时，应进行大修。

A. 有明显敲击声   B. 气缸压力下降
C. 动力显著下降   D. 排气既黑又浓

83. 施工机械如在技术上陈旧落后，耗能超过标准 __B__ 时应予更新。

A. 15%   B. 20%   C. 30%   D. 40%

84. 推土、铲运机主离合器打滑是因为 __B__ 。

A. 发动机转速不稳定
B. 主离合器摩擦片有油污染或磨损
C. 挠性连接块破裂
D. 制动器摩擦片磨损

85. 上海-120 推土机发动机连杆轴颈与连杆大头轴承孔间隙超过 __D__ mm 时应调换。

A. 0.10   B. 0.15   C. 0.20   D. 0.25

86. 游标卡尺的三种测量精度分别为 __A__ 。

A. 0.1、0.05、0.02   B. 0.1、0.2、0.5
C. 0.01、0.02、0.03   D. 0.01、0.2、0.5

87. 镀铬活塞气环，必须安装在第 __A__ 道活塞环槽内。

A. 一 B. 二 C. 三 D. 任意

88. 在含水量较大的地方或雨后泥泞地上推土容易发生陷车现象，每刀推土量不要过大，每刀土要一次推出，在行驶中要尽量避免__B__。

A. 操作推力板 B. 换档

C. 变换供油量 D. Ⅱ档推土

89. 铲运机在土方施工中，采用预留土埂间隔铲土的方法称为__C__。

A. 下坡铲土法 B. 交错铲运法

C. 跨铲法 D. 助铲法

90. 电动机铭牌上标明温升为 65℃，如常温为 20℃，则电动机实际温度应控制在__C__℃以下为正常。

A. 45 B. 65 C. 85 D. 20

91. 淬火后再高温回火的过程叫做__C__。

A. 回火 B. 淬火 C. 调质 D. 退火

92. 密封容积的静止油液中__C__。

A. 任何一点所受的各个方向的压力都不相等

B. 油液压力的方向，不总是垂直于受压表面

C. 当一处受到压力作用，将通过油液传递到连通器的任意点上，而且其压力值处处相等

D. 当一处受到压力作用该处连通的任意点上，没有压力

93. 两台以上自行式铲运机在同一地区作业时，前后距离应大于__C__m。

A. 10 B. 15 C. 20 D. 25

94. 液压系统产生故障，很大一部分原因是由于__C__。

A. 油泵供油压力太高 B. 油泵供油量太多

142

C. 液压油变质　　　　　　　　D. 经常满负荷工作

95. 135系列发动机活塞销与连杆小头轴衬孔间隙超过 __B__ mm时应调换。

A. 0.5　　　　B. 0.15　　　　C. 0.25　　　　D. 0.50

96. 上海-120、6135发动机曲轴推力面与推力轴承之间的轴向间隙超过 __D__ mm时应调换。

A. 0.1　　　　B. 0.3　　　　C. 0.5　　　　D. 0.7

97. 上海-120、6135发动机在同一台发动机中，活塞连杆组件重量相差不得大于 __C__ 克。

A. 10　　　　B. 20　　　　C. 30　　　　D. 40

98. 红旗-100推土、铲运机4146发动机气缸螺母M16，扭紧度为 __C__ kg·m。

A. 15～20　　B. 20～25　　C. 25～30　　D. 30～35

99. 东方红推土机4125发动机气缸套与活塞裙边部间隙超过 __C__ mm时应修理或更换。

A. 0.35　　　B. 0.45　　　C. 0.55　　　D. 0.65

100. 发动机活塞在调换中，发现重量偏差超过规定值，则可在 __D__ 除去重量。

A. 在活塞顶部

B. 在活塞裙部

C. 在活塞销座部

D. 在活塞裙部内壁最下部分加工处

101. 蓄电池电解液是由 __D__ 配制而成。

A. 专用硫酸和清水　　　　　B. 专用盐酸和蒸馏水

C. 专用硝酸和过滤水　　　　D. 专用硫酸和蒸馏水

102. 发动机压缩压力不足，这是因为 __C__ 。

A. 喷油泵供油量不足　　　　B. 活塞裙部磨损

C. 活塞环磨损　　　　　　　D. 冷却水温太低

103. 在液压系统中用来改变工作机构的运动速度是 __D__ 。

A. 单向阀　　　　　　　　　B. 换向阀

C. 压力和控制阀　　　　　　D. 流量控制阀

104. 液压泵的额定流量应 __A__ 系统所需的最大流量。

A. 高于　　　　　　　　　　B. 低于

C. 等于　　　　　　　　　　D. 随负载而定

105. 上海-120 推土机发动机气缸盖螺栓紧度为 __C__ kg·m。

A. 10～15　　B. 18～21　　C. 22～25　　D. 26～30

106. 推土机过河要选择 __D__ 行驶。

A. 河道窄处　　　　　　　　B. 河道宽处

C. 水流缓处　　　　　　　　D. 水流急处

107. 上海-120 推土机 6135 发动机活塞油环开口间隙超过 __A__ mm 时应调换。

A. 2　　　　　B. 3　　　　　C. 4　　　　　D. 5

108. 上海-120 推土机 6135 发动机连杆螺钉的拧紧度为 __C__ kg·m。

A. 10～15　　B. 15～18　　C. 18～20　　D. 20～25

109. 液压传动是依靠液压体内部的 __B__ 来传递动力。

A. 流量　　　　B. 压力　　　　C. 速度　　　　D. 操纵阀

110. 三相交流电源的星形接法,其线电流 $I_{线}$ 和相电流 $I_{相}$ 的关系为 __D__

A. $I_{线} = 1.73 I_{相}$　　　　　　B. $I_{线} = 1.41 I_{相}$

C. $I_{线} = \dfrac{1}{1.73} I_{相}$　　　　　D. $I_{线} = I_{相}$

144

111．红旗-100 推土、铲运机 4146 发动机，曲轴连杆轴颈与连杆大头轴瓦之间的间隙超过　D　mm 时，应修理或更换。

　　A. 0.10　　　　B. 0.20　　　　　C. 0.30　　　　D. 0.35

112．上海-120 推土机 6135 发动机活塞裙部上部与气缸之间的间隙超过　D　mm 时应修理或更换。

　　A. 0.15　　　　B. 0.35　　　　C. 0.55　　　　D. 0.75

113．车用直流电动机为串激式电动机，其优点是　C　。

　　A. 启动转速快　　　　　　B. 启动电流小

　　C. 启动转矩大　　　　　　D. 启动电压低

114．液压泵的额定压力，应　B　系统中执行原件的最高工作压力。

　　A. 低于　　　　　　　　　B. 高于

　　C. 等于　　　　　　　　　D. 可高、可低

115．上海-120 推土机发动机喷油器的喷孔距气缸盖底平面的距离在　C　mm 范围内，否则可用铜垫片进行调整。

　　A. 1.0～1.5　　　　　　　B. 2～2.5

　　C. 2.5～3.0　　　　　　　D. 3.0～3.5

116．上海-120 推土机发动机曲轴螺母紧度为　B　kg·m。

　　A. 13～18　　　B. 18～21　　　C. 20～23　　　D. 25～28

117．红旗-100 推土铲运机 4146 发动机连杆大头与曲轴连杆轴颈开档超过　A　mm 时，应修理或者更换。

　　A. 1.3　　　　B. 2.0　　　　C. 2.5　　　　D. 2.8

118．发动机进气增加器的作用是　A　。

A. 增加进气量　　　　　　B. 增加气缸内温度

C. 增加排气量　　　　　　D. 减少进气量

119. 发动机供油过早会引起　B　。

A. 发动机过热　　　　　　B. 活塞的敲缸声

C. 运转不稳　　　　　　　D. 机油压力降低

120. 将 R_1、R_2、R_3 三只电阻，经过不同方式的连接，可以得到　D　个不同阻值的电阻。

A. 2　　　　B. 3　　　　C. 4　　　　D. 5

121. 两台以上推土机在同一地区作业时，前后距离应大于　C　。

A. 2　　　　B. 5　　　　C. 8　　　　D. 15

122. 红旗-100 推土铲运机 4146 发动机气缸盖螺母 M20 拧紧度为　B　kg·m。

A. 30～40　　B. 45～55　　C. 50～60　　D. 60～65

123. 红旗-100 推土铲运机 4146 发动机活塞销与连杆小头衬套间隙超过　B　mm 时应修理或更换。

A. 0.5　　　B. 0.12　　　C. 0.3　　　D. 0.4

124. 上海-120 推土机发动机 6135 发动机活塞裙边下部与气缸套之间间隙超过　A　mm 时应修理或更换。

A. 0.6　　　B. 0.8　　　C. 1.0　　　D. 1.5

125. 红旗-100 推土铲运机 4146 发动机气环在气缸内的开口间隙超过　C　mm 时应修理或更换。

A. 1.0　　　B. 2.0　　　C. 3.0　　　D. 4.0

（三）计算题

1. 开挖一渠道尺寸如图长度为 800km 用 8 台 C3-A6 红旗-100 铲运机挖运土方，平均循环作业时间为 $T_c = 6$min，二班制连续作业，试求共需多少天才能完工？

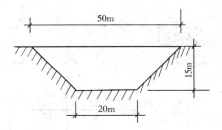

注：铲装土的充盈系数 $K_c = 1.15$；土壤的松散系数取 $K_p = 1.15$；时间利用系数 $K_B = 0.75$；铲斗容量 $Q = 6\text{m}^3$。

【解】 共需挖土方量为：$(20 \times 1.5 + 15 \times 15) \times 800 = 420000\text{m}^3$，铲运机每小时生产率 Q_x

$$Q_n = \frac{60 \cdot Q \cdot K_c}{T_c \cdot K_p} = \frac{60 \times 6 \times 1 \times 1.15}{6 \times 1.15} = 60\text{m}^3$$

铲运机台班产量 Q_d

$$Q_d = 8Q_n \cdot K_B = 8 \times 60 \times 0.75 = 360\text{m}^3$$

8 台铲运机 2 班制工作，每天的产量为：

$$Q = 2 \times 8 \cdot Q_d = 2 \times 8 \times 360 = 5760\text{m}^3$$

共需天数为：$420000 \div 5760 = 72.9$ 天 ≈ 73 天

答：共需 73 天才能完成。

2. 如图示中，手柄和齿轮 1 装在同一根轴上，转动手柄带动丝杠移动，从而使砂轮架进给，若已知丝杠为右旋，其导程 $S = 3\text{mm}$ 齿轮齿数 $Z_1 = 28$，$Z_2 = 56$，$Z_3 = 38$，$Z_4 = 57$。

试计算当手柄按图示方向旋转时，且 $n_1 = 50\text{r/min}$，砂轮移动的距离和方向。

【解】 $L = n_1 \dfrac{z_1 \cdot z_2}{z_2 \cdot z_4} s = 50 \times \dfrac{28 \times 38}{56 \times 57} \times 3 = 50\text{mm/min}$

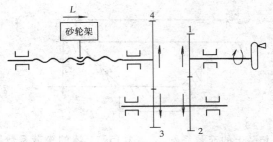

答：砂轮的移动距离为 50mm/min 方向如图示。

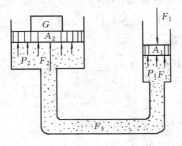

3. 已知，如右图 A_1 $= 1.13 \times 10^{-4}$ m², $A_2 = 9.62 \times 10^{-4}$ m²，施加在小活塞的重物的力 $F_1 = 5.78 \times 10^3$N，

求：能顶起多重的重物？

【解】 (1) 小液压缸内的压力 P_1

$$P_1 = \frac{F_1}{A_1} = \frac{5.78 \times 10^3}{1.13 \times 10^{-4}} = 512 \times 10^5 \text{Pa}$$

(2) 大活塞向上的推力 F_2 根据静压传递原理可知 $P_2 = P_1$ 则 F_2 为

$$F_2 = P_1 \cdot A_2 = 512 \times 10^5 \times 9.62 \times 10^{-4} = 4.9 \times 10^4 \text{N}$$

(3) 能顶起重物的重量为 $G = F_2 = 4.90 \times 10^4 \text{N}$

答：能顶起 $4.9 \times 10^4 \text{N}$ 的重物。

4. 如右图示，电机转

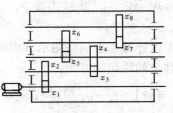

148

速 $n_1 = 1440\text{r/min}$，齿轮齿数分别为 $z_1 = 26$，$z_2 = 54$，$z_3 = 19$，$z_4 = 36$，$z_5 = 28$，$z_6 = 37$，$z_7 = 19$，$z_8 = 71$。

求：最后一个齿轮 z_8 的转速。

【解】

$$n_8 = n_1 \cdot \frac{z_1}{z_2} = \frac{z_3}{z_4} = \frac{z_5}{z_6} = \frac{z_7}{z_8}$$

$$= 1440 \times \frac{26 \times 19 \times 28 \times 19}{54 \times 36 \times 37 \times 71} = 75\text{r/min}$$

5. 已知，如图 $A_1 = 1.13 \times 10^{-4} \text{m}^2$，$A_2 = 9.62 \times 10^{-4} \text{m}^2$，管道截面积 $F_5 = 0.13 \times 10^{-4} \text{m}^2$，假定活塞 1 的下压速度为 0.2m/s。

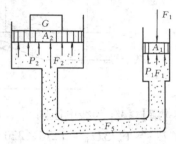

求：活塞 2 上升速度和管道 5 内液体的平均流速？

【解】 （1）活塞 1 所排出的流量 Q_1

$Q_1 = A_1 V_1 = 1.13 \times 10^{-4} \times 0.2 = 0.226^{-4} \times 10\text{m}^3/\text{s}$

（2）根据液流连续性原理，推动活塞 2 上升的流量 $Q_2 = Q_1$，活塞 2 的上升速度

$$V_2 = \frac{Q_2}{A_2} = \frac{0.226 \times 10^{-4}}{9.62 \times 10^{-4}} = 0.0235\text{m/s}$$

（3）同理在管道 5 内流量 $Q_5 = Q_1 = Q_2$ 所以管道 5 内液体的平均流速为

$$J_5 = \frac{Q_5}{A_5} = \frac{0.226 \times 10^{-4}}{0.13 \times 10^{-4}} = 1.74\text{m/s}$$

答：活塞 2 上升速度为 0.0235m/s，管道 5 内液体的平

均流速为 1.74m/s。

6. 如图示，负载电阻 $R_a = R_b = R_c = 10\Omega$ 作星形联结后，接到相电压为 220V 的三相对称电源上，试求其电压表和电流表 V_1 V_2 A_1 A_2 A_3 的读数分别为多少。

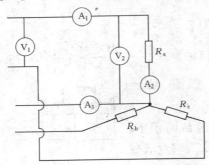

【解】 V_1 为线电压则

$U_{线} = 1.73 U_{相} = 1.73 \times 220 = 380$

V_2 为相电压：$U_{相} = 220V$

A_2 为相电流：$I_{相} = \dfrac{U_{相}}{R_a} = \dfrac{220}{10} = 22A$

A_1 为线电流 $\because$ 星形联结 $I_{线} = I_{相} = 22A$

A_3 为中性线电流 $\therefore I = 0$

答：电压表 V_1 读数为 380V，V_2 读数为 220V，
电流表 A_1 读数为 22A，A_2 读数为 22A，A_3 读数为零。

7. 已知：孔为 $\phi 40^{+0.027}$ 与轴为 $\phi 40^{+0.035}_{+0.018}$ 相配合

求：孔与轴相配合时的最大间隙和最大过盈各为多少？

【解】 $X_{max} = D_{max} - d_{min} = 40.027 - 40.018 = 0.009\text{mm}$

$Y_{max} = D_{min} - d_{max} = 40 - 40.035 = -0.035\text{mm}$

答：最大间隙为 0.009mm，最大过盈为 0.035mm

8. 如图，为某场地方格网的一部分，方格边长为20m，各角点设计标高及自然地面标高图中均已注出，试用方格网法，计算方格Ⅰ、Ⅱ、Ⅲ的填挖土方量。

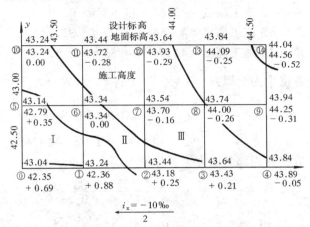

某场地方格网一部分

【解】 先求出各方格角点的施工高度并注于图上。

施工高度＝设计标高－自然地面标高：

角点 0 施工高度＝43.04－42.35＝＋0.69

角点 1 施工高度＝43.24－42.36＝＋0.88

角点 2 施工高度＝43.44－43.18＝＋0.26

角点 3 施工高度＝43.64－43.43＝＋0.21

角点 4 施工高度＝43.84－43.89＝－0.05

角点 5 施工高度＝43.14－42.79＝＋0.35

角点 6 施工高度＝43.34－43.34＝0.00

角点 7 施工高度＝43.54－43.70＝－0.16

角点 8 施工高度＝43.74－44.00＝－0.26

角点 9 施工高度 = 43.94 - 44.25 = -0.31

角点 10 施工高度 = 43.24 - 43.24 = 0.00

角点 11 施工高度 = 43.44 - 43.72 = -0.28

角点 12 施工高度 = 43.64 - 43.93 = -0.29

角点 13 施工高度 = 43.84 - 44.09 = -0.25

角点 14 施工高度 = 44.04 - 44.56 = -0.52

方格 I 为全填方 $V_I = \dfrac{a^2}{4}(h_1 + h_2 + h_3 + h_4)$

$$= \dfrac{20^2}{4}(0.69 + 0.88 + 0 + 0.35)$$

$$= 100 \times (+1.92) = 192\text{m}^3(+)$$

方格 II 为部分填方、部分挖土：

$$V_{II填} = \dfrac{a^2}{4} \cdot \dfrac{(\Sigma h_填)^2}{\Sigma h} = \dfrac{20^2}{4} \cdot \dfrac{(0.88 + 0.26)^2}{(0.88 + 0.26 + 0.16 + 0)}$$

$$= 100 \times \dfrac{1.2996}{1.3} = 100\text{m}^3(+)$$

$$V_{II挖} = \dfrac{a^2}{4} \cdot \dfrac{(\Sigma h_填)^2}{\Sigma h} = \dfrac{20^2}{4} \cdot \dfrac{0.16^2}{1.3} = 2\text{m}^3(-)$$

方格 III 为部分填方、部分挖方

$$V_{III填} = \dfrac{a^2}{4} \cdot \dfrac{(\Sigma h_填)^2}{\Sigma h}$$

$$= \dfrac{20^2}{4} \cdot \dfrac{(0.26 + 0.21)^2}{(0.26 + 0.21 + 0.26 + 0.16)}$$

$$= 25\text{m}^3(+)$$

$$V_{III挖} = \dfrac{a^2}{4} \cdot \dfrac{(\Sigma h_填)^2}{\Sigma h}$$

$$= \frac{20^2}{4} \cdot \frac{(0.26 + 0.21)^2}{(0.26 + 0.21 + 0.26 + 0.16)}$$

$$= 2\mathrm{m}^3(-)$$

答：方格Ⅰ为填方 192m³，方格Ⅱ填方 100m³，挖方 2m³，方格Ⅲ填方 25m³，挖方 20m³。

9. 已知一对标准直齿圆柱齿轮传动，其传动比 $i_{12} = 3$，主轮齿轮转速 $n_1 = 600\mathrm{r/min}$，两轮中心距 $a = 168\mathrm{mm}$，齿轮模数 $m = 4\mathrm{mm}$。

求：从动齿轮转速 n_2、齿轮齿数 z_1 和 z_2 各为多少？

【解】 因为 $i_{12} = \frac{n_1}{n_2}$ 所以 $n_2 = \frac{n_1}{i_{12}}$

从动轮转速 $n_2 = \frac{600}{3} = 200\mathrm{r/min}$

两轮中尽距 $a = \frac{m}{2}(z_1 + z_2)$

$\because i_{12} = \frac{z_1}{z_2}$ $\therefore z_2 = i_{12}z_1 = 3z_1$ 代入上式

$$a = \frac{m}{zm}(z_1 + 3z_1) = 2mz_1 \quad 则$$

$$z_1 = \frac{a}{2m} = \frac{168}{2 \times 4} = 21$$

$$z_2 = 3z_1 = 3 \times 21 = 63$$

答：从动轮转速 $n_2 = 200\mathrm{r/min}$，主动齿轮齿数 $z_1 = 21$，从动轮齿数 $= z_2 = 63$。

10. 有一台推土机，原值 605000 元，预计报废时残值 5500 元，清理费 500 元，预计使用期内工作总台班为 2500 台班，求其折旧额？

【解】 $D_t = \frac{605000 - 5500 + 500}{2500} = 240$ 元

答：该设备台班折旧额为 240 元。

（四）简答题

1．如何提高推土机生产率?

答：（1）加强机械的维修保养，使推土机经常保持良好的状态。

（2）减少辅助时间，加快作业循环，提高时间利用率

1）充分利用推土机功率，正确选择运行路线，尽量以快速满负荷工作，一般情况下，铲土用第一档、推土用第二档，后退时用最高档，以缩短循环时间；

2）遇硬土时用松土机预先松土；

3）铲刀的刀片经常保持锋利。

（3）提高铲刀前的堆土量，如利用下坡推土，土质松散时，可将铲刀两端的挡土板加长，遇到埂土进行预松。

2．动力绞盘铲刀降落缓慢或不降落的原因?

答：铲刀降落缓慢或不降落的原因可能是滑轮卡住，制动带调整不当或松闸操纵不灵，锥形离合器分离不彻底等原因造成的。

3．对机械的润滑工作应注意那些事项?

答：（1）润滑油料必须保持清洁；

（2）不同牌号的润滑油料不可混合使用；

（3）经常检查润滑系统的密封情况；

（4）选用适宜的润滑油料和规定的时间进行润滑工作；

（5）加润滑油时，应加到规定的尺度；

（6）对没有注油点的转动部件，应定期用油壶点注转动缝隙中。

4．简述零件图测绘的方法和注意事项?

答：零件图测绘的方法：

（1）分析零件的名称、用途、作用、材料、热处理和表面处理状态，对零件进行结构分析和工艺分析，拟定零件的表达方案；

（2）徒手绘制草图，在图纸上定出各个视图的位置，目测比例详细画出零件的内外形状，选择尺寸基准，然后测量零件的尺寸确定表面粗糙度和技术要求；

（3）对零件草图审查校核后按零件图的标准画零件工作图。

注意事项：

（1）零件的缺陷不应画出；

（2）零件因制造和装配需要而形成的工艺结构必须画出；

（3）配合尺寸只要测出它的基准尺寸，再定配合性质的公差；

（4）无配合关系的尺寸或不重要尺寸，允许将测定的尺寸适当调整成整数值；

（5）对螺纹齿轮等标准件结构尺寸，应把测量结果与标准值核对后再取标准值以利制造。

5.液压油系统压力不能提高的原因是什么？如何排除？

答：液压系统压力不能提高的常见原因是溢流阀压力调整不当，针阀歪斜，针阀弹簧不符合要求，活塞动作不良，内部零件磨损，回油系统漏油太多，液压泵工作不良等。

处理方法：调整压力，清洗内部，调换损坏零件，消除漏油，液压泵送修。

6.机械设备事故的类别如何划分？

答：机械设备事故按直接经济损失来划分，一般分为三类：

　　一般事故、机械设备直接损失价值在 1000～5000 元；

　　大事故、机械设备直接损失价值在 5000～20000 元；

　　重大事故、机械设备直接损失价值在 20000 元以上。

　　7. 简述液压泵不出油的常见原因和处理方法？

　　答：液压泵不出油必须立即停车，防止液压泵损坏，常见原因有：

　　（1）电机反转；（2）滤油网堵塞；（3）吸油管路损坏；（4）油的粘度过高；（5）变量泵的排量在零位；（6）泵内零件损坏。

　　排除方法：

　　（1）改变电机转向；（2）清洗滤油网；（3）修理管路；（4）调换液压油；（5）调整变量机构；（6）拆下液压泵，修理损坏的零件。

　　8. 发动机活塞连杆组拆卸时应注意哪几点？

　　答：（1）刮清气缸套上部之烟灰与油污；

　　（2）转动曲轴，把要拆下的活塞转到上止点；

　　（3）取出活塞连杆组件时，应沿气缸中心线，切勿使连杆擦伤气缸套内壁，并勿使连杆摇摆而碰伤活塞底部；

　　（4）活塞拆出后，连杆轴瓦，连杆盖及连杆螺钉都应仍旧按原位装上连杆体，切勿调错。

　　9. 喷油嘴在试验台上进行试验时出现什么现象说明喷油嘴工作不良？

　　答：（1）喷油压力不到规定数值；

　　（2）喷油不雾化成明显的连续油流流出；

　　（3）燃油喷射不立即切断，出现多次喷油现象；

　　（4）各个喷孔喷出的油雾束不均匀，长短不一；

（5）喷油嘴滴油；

（6）喷孔堵塞，喷不出油或喷出的油雾来束呈分枝状态。

10.装配图上的尺寸主要有哪些？

答：装配图中需标出一些必要的尺寸这些尺寸大致可以分为以下几类：

（1）性能规格尺寸；

（2）装配尺寸包括两个零件的配合尺寸和装配时需要保证的相对位置尺寸；

（3）安装尺寸；

（4）外形尺寸；

（5）其他重要的尺寸，如设计中经计算后确定的尺寸及主要零件的重要结构尺寸。

11.产生柴油机燃油系统的故障原因及排除方法？

答：柴油机燃油系统产生故障则发动机就不能启动，主要原因有以下几点：

（1）燃油系统中漏入空气；

（2）燃油管路堵塞；

（3）燃油精滤器堵塞；

（4）输油泵不供油；

（5）喷油很小，喷油压力低。

排除方法：

（1）检查燃油管路接头是否松弛，否则要扭紧，排除燃油系统中的喷油泵滤清器及各管路中的空气；

（2）检查管路是否畅通；

（3）清洗滤清器或更换滤芯；

（4）检修输油泵；

（5）校验喷油泵和喷油器。

12. 机械走合期有什么规定？

答：（1）凡机械设备制造了已有走合期规定的，应执行原厂规定。未经规定的一般内燃机运转 100h，电动机械运转 50h，运输机械行驶 1000km。

（2）走合期内起重机从额定起重量 50% 开始，逐步增加负荷，但不得超过规定起重量 80%，挖掘机应先挖较松软的土壤，在 100h 内斗容量不得超过 75%，推土机铲运机装载机不得超过额定负荷 80%，汽车按规定标准减载 25%，最高车速不得超过 40km/h，其他机械减速 30% 和减负荷 30%。

13. 如何调整变速箱的连锁机构？

答：（1）关闭发动机；

（2）拆去脚踏板，将主离合器彻底分离；

（3）卸下离合器的调整拉杆,并旋松调整拉杆上的螺帽；

（4）挂上任一排档，离合器操纵杆向后拉，使定位轴拉杆向前移动到锁定的位置，一般与推土机横轴线成 13°角；

（5）根据离合器操纵杆销孔的位置来调整离合器调整拉杆的长短，装上拉杆销，试验达到离合器接合时，变速杆被销住，分离时换档顺利为准；

（6）调整合适后，将调整拉杆销子及螺帽销住，装上脚踏板。

14. 发动机活塞连杆组装配时应注意哪几点？

答：（1）装配前必须清洗和检查全部零件有无裂缝，并测量重要配合处的磨损情况；

（2）装活塞销时先把活塞放在机油内加热到 100～120℃取出活塞，先装好一端的活塞销锁簧，并及时将连杆小头活塞、活塞销连接好，再将另一锁簧装好；

（3）第一道活塞环有要求的不要错；

（4）活塞销轴承表面必须先涂上清洁的机油；

（5）连杆与活塞安装方向不要装错；

（6）活塞环的开口应依次交错配置互隔120°。

15. 液压传动用油应当具备哪些条件？

答：液压油要具备以下性质：

（1）合适的粘度；

（2）稳定的物理性能和化学性能；

（3）良好的润滑性；

（4）对金属的腐蚀性少；

（5）抗挤压和抗泡沫能力。

（6）闪点要高，凝固点要低；

（7）杂物少；

（8）不会造成密封件的膨胀和硬化。

16. 由装配图拆画零件图应注意哪几个问题？

答：拆画零件图要在全面看懂装配图的基础上进行，并按零件图的内容和要求画上，拆画零件图时应注意以下问题。

（1）认真构思零件形状关键在于认真读懂装配图从中完整地构思出零件的结构形状是拆画零件图的前提。

（2）正确确定零件表达方式，根据该零件本身的结构特点选取表达方式。

（3）正确完整清晰、合理地标注尺寸和技术要求。

17. 试述机械设备的报废标准？

答：（1）以设备投入，产出经济效益为标准；

（2）以公安局，劳动局规定使用年限为标准；

（3）专用设备因工艺改革无使用价值；

（4）设备在技术上陈旧落后，耗能超过标准 20% 以上无法修复；

（5）修理费用高，在经济上不如更新的合算的设备。

18. 全员技术业务培训对机械操作人员有何要求？

答：机械操作人员要具备本工种相应级别标准（应知、应会）的能力，熟练掌握本机械的安全操作，使用性能，构造原理，在实际工作中达到"四懂三会"的水平即懂原理、机械构造、性能用途，会操作维修、排除故障。

19. 安装发动机气缸盖衬垫时应注意哪些工作？

答：气缸盖与机体之间的气、水和油的密封是依靠气缸盖衬垫，所以它的贴紧程度是非常重要的，在安装时应仔细检查气缸盖和机体接触面及气缸衬垫是否有损坏，是否已完全清洗干净，如果衬垫有损坏，则要换新，装配时衬垫上有件号的一面（即缸套盖孔反边的一面）应朝上，并仔细地将衬垫的定位孔对准定位套筒，及机体与气缸盖之间的润滑油孔，并按照规定扭紧气缸盖螺栓。

20. 简述读零件图的一般步骤。

答：读零件图的一般步骤是：一看标题栏，了解零件概况，二看视图，想象零件形状，三看尺寸标注，明确各部大小，四看技术要求，掌握零件质量指标。

21. 发动机机油粗滤器旁通阀的作用是什么？用户是否可以随意调整？

答：旁通阀的作用是当粗滤器滤芯堵塞时，机油由旁通阀流过，不经过滤芯直接供油，以保持机油不间断地供应，旁通阀的压力由生产厂家已调整好用户不要随意调整。

22. 气门间隙过大过小有什么危害？

答：气门间隙的调整要按规定间隙调整，就能使进排气门满足早开迟闭的目的，达到充分进气，排除废气干净，提高发动机动力。

气门间隙过大就会使气门迟开早闭。开启时间缩短，无法吸入充足的空气，影响发动机的功率。在排气过程中也不能充分排出废气，易使发动机过热，而且气门间隙过大，还会产生气门敲击声，影响机件使用寿命。气门间隙过小，则往往使发动机无法正常工作，使气门密封不严，使发动机气缸内的压缩比减小，影响发动机功率。

一般进气门间隙比排气门间隙略大。

23.机械大修理的标准？

答：（1）发动机和其他两个及以上的总成需要大修理。

（2）臂架、车架、平台等钢结构变形严重。

（3）机架、托架、支腿等主要铸件变形、损伤，妨碍正常运转。

（4）半数以上的轴承、齿轮、轴颈磨损松旷，传动轴弯曲，制动机构严重磨损，无法调整，危及安全。

24.怎样调整6135发动机的气门间隙？

答：（1）卸下气缸盖罩壳及喷油泵侧盖板，转动曲轴，使飞轮壳检视窗上的指针对准飞轮上的定时零度线，此时第一缸喷油泵柱塞弹簧处于压缩状态，则第一缸为燃烧形成的始点，可同时调整下列各缸的进排气门间隙。

缸　　号	1	2	3	4	5	6
可调整的气门	进、排	进	排	进	排	

用同样的方法，使第六缸处于燃烧行程的始点，可调整下列各缸的进排气门间隙。

缸　号	1	2	3	4	5	6
可调整的气门		排	进	排	进	排、进

（2）也可以按某一缸处于燃烧行程始点，可调整该缸的进、排气门间隙逐缸调整。

25. 转向离合器摩擦片沾油打滑时如何清洗？

答：转向离合器摩擦片沾油打滑时可用汽油或煤油来清洗，顺序如下：

（1）放掉沉积在转向离合器室中的废油。

（2）拧紧转向离合器室放油塞，并将要清洗的转向离合器检视孔打开，注入 8L 左右汽油，如转向离合器内壁油污太多应先清洗内壁，使机械向前向后行驶 5～10min，但不要拉开转向离合器，以免脏油进入摩擦片间。

（3）清洗后放出脏油再注入汽油，挂上一档，拉起左右转向离合器操纵杆让它空转 3～5min，分离主离合器，放下转向离合器操纵杆，变速杆放空档。

（4）放出脏油拉起被清洗的转向离合器操纵杆，用木块固定被拉起的操纵杆数小时，使残剩的汽油挥发干净然后放下操纵杆。

（5）润滑各润滑点，旋上放油塞，盖好检视孔。

26. 一张完整的零件图应包括哪些内容？

答：一张完整的零件图应包括下列内容：

（1）一组图形　用必要的视图剖视剖面及其他规定画法，正确完整清晰地表达零件各部分结构的内外形状。

（2）完整的尺寸　能满足零件制造和检验时所需要的正确完整清晰合理的尺寸。

（3）必要的技术条件　用代号符号标注或文字说明表达

制造检验和装配过程中应达到的一些技术上的要求，如表面粗糙度，尺寸公差、形状和位置公差热处理和表面处理要求等。

（4）填写完整的标题栏　包括零件名称，材料、图号、图样的比例及图样负责者签字等内容。

27. 柴油发动机供油过早、过迟有什么危害？

答：供油过早过迟会使发动机难发动，发动机动力不足。供油过早会使发动机提前燃烧，会产生较响亮的敲击声长期工作下去会导致活塞缸套等机件早期磨损，甚至会损坏机件。供油过迟容易引起发动机过热，部分柴油会在排气管中燃烧，增加油耗。

28. 发动机油底壳机油平面过高过低有什么危害？

答：油底壳油平面过高，易使机油窜入气缸内，形成积炭，破坏活塞环密封，积炭易形成热点，破坏点火时间，燃烧不良，功率下降，另一方面机油消耗量增加。

机油油平面过低，气缸活塞润滑不良，易磨损机件，若低于机油泵吸油器滤网时，则将有空气进入机油，造成机油压力过低，致使发动机各需润滑机件得不到充足的润滑，使机件急剧磨损，严重者会烧毁轴承，直至咬死，使发动机无法工作。

29. 机械设备管理的原则是什么？

答：面向生产，管用结合，对机械设备实行统一管理，分级负责，集中与分级相结合。

30. 怎样调整 6135 发动机喷油提前角？

答：调整时拆下第一缸高压油管，慢慢转动曲轴，同时密切注意第一缸出油阀紧座油面情况，当油面刚发生波动的瞬间时即表示第一缸开始喷油，通过飞轮壳检视窗上指针所指飞轮的角度，应该在上止点前 28～31 度范围内，如有不符，可松开油泵接合器接盘上的两个螺钉，慢慢地转动曲轴，使接合器接盘转过所要求的一个角度，然后将两个螺钉固定，再按上述方法重复检查一遍，调整是否正确，如果正确则装上高压油管即好。

实际操作部分

1. 题目：推坡度（运土距离在 50m 以内）

考核项目及评分标准

序号	考核项目	评　分　标　准	满分	检测点					得分
				1	2	3	4	5	
1	机械选择	机械选择正确 运土距离在（50m 以内） 可用推土机推坡度	10						
2	操作顺序	操作顺序正确 （宜采用下坡推土）	20						
3	坡　度	符合施工要求	30						
4	机械停置	机械停置点选择正确	10						
5	文明施工	不浪费材料，工完场清机清	10						
6	安全生产	重大事故不合格，小事故扣分	10						
7	工　效	根据项目，按劳动定额进行低于 90％ 本项无分在 90％～100％ 之间酌情扣分 超过定额的酌情加分	10						

2．题目：铲坡度（运土距离在50m以外）

考核项目及评分标准

序号	考核项目	评 分 标 准	满分	检测点 1	2	3	4	5	得分
1	机械选择	机械选择正确 运距较远在50m以外可用铲运机铲运坡度	10						
2	操作顺序	操作顺序正确 （宜采用下坡铲土法）	20						
3	坡　度	符合施工要求	30						
4	机械停置	机械停置点选择正确	10						
5	文明施工	不浪费材料，工完场清机清	10						
6	安全生产	重大事故不合格，小事故扣分	10						
7	工　效	根据项目，按劳动定额进行低于90%本项无分在90%～100%之间酌情扣分 超过定额的酌情加分	10						

3．题目：槽形推土（运土距离在100m以内）

考核项目及评分标准

序号	考核项目	评 分 标 准	满分	检测点 1	2	3	4	5	得分
1	机械选择	机械选择正确，运距较远在100m左右土层较厚在1m左右的推土机	10						

序号	考核项目	评 分 标 准	满分	检测点					得分
				1	2	3	4	5	
2	操作顺序	操作顺序正确,重复推土、形成一条槽,其槽宽与刀宽相等形成多条框,土埂约50cm宽,将土埂土推入框内,分层运出	20						
3	场地平整度	符合施工要求从中心线往两边偏差±10cm 水平标高偏差±10cm	30						
4	机械停置	机械停置点选择正确	10						
5	文明施工	不浪费油材料,工完场清机清	10						
6	安全生产	重大事故不合格,小事故扣分	10						
7	工 效	根据项目,按劳动定额进行低于90%本项无分在90%～100%之间酌情扣分 超过定额的酌情加分	10						

注:水平标高检查点的要求

项次	项 目	水 平 标 高 检 测 点
1	场地平整	$10\times10\sim20\times20m^2$ 取一点,总数不小于10点
2	基 坑	$20m^2$ 取5点,每个基坑不少于2点
3	基槽和管沟	$20m$ 取一点,总数不少于2点
4	路 堤	$20m$ 取一组(2点)总数不少于5组
5	其他挖填方	$30\sim50m^2$ 取一点,总数不少于5点

4．题目：槽形铲土（跨铲法）（运土距离在100m以外）

考核项目及评分标准

序号	考核项目	评 分 标 准	满分	检测点					得分
				1	2	3	4	5	
1	机械选择	机械选择正确 铲运距离在 80～800m 用拖式铲运机在 800m 以上用自行式铲运机	10						
2	操作顺序	操作顺序正确 预留土埂间隔铲土，土埂高度不大于 30cm 其宽度不大于履带净距为宜	20						
3	场地平整度	符合施工要求从中心线往两边线偏差±10cm 水平标高±10cm	30						
4	机械停置	机械停置点选择正确	10						
5	文明施工	不浪费材料工完场清机清	10						
6	安全生产	重大事故不合格，小事故扣分	10						
7	工 效	根据项目，按劳动定额进行低于 90% 本项无分在 90%～100% 之间酌情扣分超过定额的酌情加分	10						

注：水平标高检查点的要求

项次	项 目	水 平 标 高 检 测 点
1	场地平整	$10 \times 10 \sim 20 \times 20m^2$ 取一点，总数不小于 10 点
2	基 坑	$20m^2$ 取 5 点，每个基坑不少于 2 点
3	基槽和管沟	$20m$ 取一点，总数不少于 2 点
4	路 堤	$20m$ 取一组（2 点）总数不少于 5 组
5	其他挖填方	$30 \sim 50m^2$ 取一点，总数不少于 5 点

5. 题目：拉孤石

考核项目及评分标准

序号	考核项目	评 分 标 准	满分	检测点 1	2	3	4	5	得分
1	机械选择	机械选择正确 运石距离在 $50 \sim 80m$ 用拖式铲运机，超过 800 用自行式铲运机	10						
2	操作顺序	操作顺序正确，先将孤石周围的土挖去，然后铲石装斗运走	30						
3	拉孤石施工	符合施工要求	30						
4	机械停置	机械停置点选择正确	10						
5	文明施工	不浪费油材料，工完场清机清	10						
6	安全生产	重大事故不合格，小事故扣分	10						
7	工 效	根据项目，按劳动定额进行低于 90% 本项无分在 90%～100% 之间酌情扣分 超过定额的酌情加分	10						

168

6. 题目：上海-120，红旗-100 主离合器的调整

考核项目及评分标准

序号	考核项目	评 分 标 准	满分	检测点					得分
				1	2	3	4	5	
1	工具使用	工具使用合理	15						
2	调整方法	调整方法、顺序正确	15						
3	调整要求	调整符合规定，否则不合格，螺栓、螺母扭紧度符合要求	30						
4	文明施工	不损坏、丢失配件零件工完工具清	15						
5	安全生产	重大事故不合格，小事故扣分	15						
6	工　效	根据项目，按劳动定额进行低于90%本项无分在90%～100%之间酌情扣分超过定额的酌情加分	10						

7. 题目：推土机跑偏故障的排除

考核项目及评分标准

序号	考核项目	评 分 标 准	满分	检测点					得分
				1	2	3	4	5	
1	故障判断	故障判断正确	10						
2	工具使用	工具使用合理	10						
3	故障排除方法	故障排除方法、顺序正确	15						

序号	考核项目	评 分 标 准	满分	检测点					得分
				1	2	3	4	5	
4	排除要求	故障排除正确，未排除不合格、安装正确螺栓螺母扭紧度符合规定	30						
5	文明施工	不损坏丢失零配件，工完机清、工具清、场清	10						
6	安全生产	重大事故不合格，小事故扣分	10						
7	工　效	根据项目，按劳动定额进行低于90%本项无分在90%～100%之间酌情扣分超过定额的酌情加分	15						